Vive la grammaire!

GCSE French Grammar

Phil Turk and **Geneviève García Vandaele**

Hodder & Stoughton

A MEMBER OF THE HODDER HEADLINE GROUP

Acknowledgements

As with *Action Grammaire!*, this book owes much to the Bradford on Avon – Sully-sur-Loire twinning link. Our thanks to our many friends in both towns and their twinning associations, who have given us their support and encouragement, and who may, unwittingly, have lent their names to some of the 'characters' in this book. Our thanks also to Liz Gibson, for reading the manuscript and offering some valuable suggestions, and to other teachers in the Bradford on Avon and Sully-sur-Loire areas whose opinions have been heeded. Thanks also to Brenda Turk for her customary support and help with proof-reading.

Order queries: please contact Bookpoint Ltd, 39 Milton Park, Abingdon, Oxon OX14 4TD. Telephone: (44) 01235 400414, Fax: (44) 01235 400454. Lines are open from 9.00 – 6.00, Monday to Saturday, with a 24 hour message answering service. Email address: orders@bookpoint.co.uk

British Library Cataloguing in Publication Data
A catalogue record for this title is available from The British Library

ISBN 0 340 71122 1

First published 1998
Impression number   10   9   8   7   6   5   4   3   2   1
Year   2003   2002   2001   2000   1999   1998

Copyright © 1998 Phil Turk and Geneviève García Vandaele

Typeset by Wearset, Boldon, Tyne and Wear.
Printed in Great Britain for Hodder & Stoughton Educational, a division of Hodder Headline Plc, 338 Euston Road, London NW1 3BH by Scotprint, Musselburgh, Scotland.

CONTENTS

INTRODUCTION

To the teacher

This book follows the successful three-section format of our A level grammar *Action Grammaire!* and adapts it to the needs of the GCSE pupil. Each of the main chapters is divided into three sections: *A vos marques!* explains the grammar point clearly in as simple English as possible; *Prêts?* offers reinforcement exercises on each point; and *Partez!* offers a variety of oral and/or written activities in which the particular grammar point would occur naturally. As far as possible, the exercises and activities in the *Prêts?* and *Partez!* sections are each set in a context relevant to the Areas of Experience in the GCSE syllabuses. Vocabulary not in the Foundation level lists provided by the Examination Boards is to be found in the *Vocabulaire* at the end of each chapter.

Although the grammar explanation comes first, it is not intended that teaching should be 'grammar-led'; it is expected rather that pupils will have met most of the grammar points already in their main coursebook, and that this book will be used for consolidation, revision and reference. The self-check key at the end of the book for the *Prêts?* section will enable pupils to work at their own speed and check their own progress. The *Partez!* section is there to provide enjoyment and to supplement the communicative activities of their coursebook, as well as helping to reinforce the grammar point in question. You may need, however, to spend a little time preparing the activities with your class. The exercises and activities are roughly graded in difficulty, with an **H** denoting those which are regarded as more suitable for Higher Level pupils only.

This book will provide pupils with the necessary grammatical support for their communicative abilities at both Foundation and Higher level, and for Higher level pupils, ease the transition from GCSE to A level.

To the pupil

This book is called ***Vive la grammaire!*** because grammar is an important element in understanding how a language works, and because, (perhaps contrary to popular belief!), learning grammar can be fun! You've probably had plenty of practice at speaking, reading, listening and maybe writing, but you may still be a bit shaky on those verb tenses, adjective agreements and other points of grammar that you need to get the highest grade you can. This book is designed to help you tidy up your grammar. Each chapter is divided into three sections, representing 'Ready?', 'Steady?', 'Go!'. First a section called *A vos marques!* in which each grammar point is explained in simple English, with plenty of examples. Then there are some exercises – *Prêts?* – to give you further practice – and a self-check key at the end of the book, so you can see for yourself what you have got right. Ask your teacher about what you didn't get right – and then have another go! Finally, there is a section of activities – *Partez!* – where you can work some role-plays with your classmates or do some written work to further practise your grammar. You should be pretty confident after all that! Even then, you can carry on using the *A vos marques!* section to look up anything you are still not sure about, and for your final revision. *Bon courage!*

1

PEOPLE AND THINGS

nouns

 **A vos marques!**

What is a noun?

A noun tells you what something is or who someone is. It can be a person, an animal, a thing, a country, an idea: Jean-Pierre, a girl, a boy, a teacher, a dog, a pen, a book, rain, France, pollution, a moment, etc.

1 Gender

One of the main differences between French and English nouns, is that in French **every** noun, whether it is alive or not, is either **masculine** or **feminine**. So, for example, *un livre* book, *un verre* glass, *un bus* bus, are masculine, and *une table* table, *une glace* ice cream, *une tasse* cup, are feminine. You can see that the indefinite article (the word meaning 'a' or 'an') changes according to which gender the noun is. In fact, this is so important, you should learn each new noun with either *un/une* or the definite article *le/la* (= 'the').

a People and animals

■ Male people and common male animals are usually masculine: *un homme* (man), *un garçon* (boy), *un boulanger* (baker), *un conducteur* (driver – male), *un taureau* bull, *un chat* (cat – male).

■ Female people and common female animals are usually feminine: *une femme* (woman), *une fille* (girl), *une boulangère* (baker – female), *une conductrice* (driver – female), *une vache* (cow), *une chatte* (cat – female).

Attention!

Grammatical **gender** doesn't always correspond to the actual **sex** of the person or animal in question. For example, some professions where the noun doesn't change form are grammatically masculine: ***un professeur*** (teacher – male or female), *un médecin* (doctor – male or female). On the other hand *une personne* (person, male or female)., *une vedette* (star of stage or screen) are always feminine. The same thing happens with the majority of animals: *un éléphant*, *un singe* (monkey), *une giraffe*.

b Mainly masculine

The following nouns are masculine:

- Days, months and seasons: *le lundi, un janvier très froid, un été chaud*.

- Weights and measures: *un kilo, un kilogramme, un demi-litre, un kilomètre*.

- Languages: *le français, l'allemand*.

- Trees: *un arbre, un pommier, un poirier*.

- Most nouns ending in:

  -age: *un voyage, un garage, quel âge avez-vous?* **NOT** *une cage, une page, une plage*

  -eau: *un château, un gâteau*. **NOT** *l'eau, la peau* (skin)

  As a general guide, nouns ending in a **consonant** (*c, f, l, m, n, r, s, t, x, z*) tend to be masculine, though some are feminine: *une clef, une main, une souris*.

  The following nouns ending in **-e**, which you are likely to need are also masculine: *un centre, un dictionnaire, un échange, un groupe, un incendie, un lycée, un musée, un nombre, un rôle, un service, un siècle, un signe, un verbe, un vocabulaire*.

c Mainly feminine

The following nouns are feminine:

- Nouns ending in *-ion*: *une destination, une invitation, la pollution, la télévision*, (most correspond to English words also ending in '-ion', especially '-ation', '-ution'). **NOT** *un avion* 'plane', *un camion* 'lorry'.

- Nouns ending in *-té*: *l'électricité, une nationalité, une université, la vérité* 'truth' (most correspond to English words ending in '-ty').

- Many words ending in *-e* including:

  continents, countries and rivers: *l'Europe, la France, la Seine, la Loire*;

  fruits and vegetables: *une pomme, une cerise, une carotte*;

  shops ending in *-erie* or *-ie*: *une boulangerie, une crêperie, une pharmacie*;

  nouns ending in *-te* or *-tte*: *une cravate, une omelette*;

7

school subjects ending in *ie*: *la géographie, la biologie,* also *l'histoire, les maths (mathématiques).*

Conseil!

There are thousands of nouns ending in *-e* in French, and the tendency is for them to be feminine. However, there are quite a lot which are masculine: so always check in a dictionary if in doubt!

2 Making nouns plural

When you have more than one of a noun, it is plural.

a Regular plurals

The usual way to make a noun plural in French is to write an *-s* on the end:

train	*trains*	train/s
chaussure	*chaussures*	shoe/s
avion	*avions*	plane/s
élève	*élèves*	pupil/s
chemise	*chemises*	shirt/s
magasin	*magasins*	shop/s

Attention!

However, since you don't usually sound the last consonant(s) of a word, this *-s* usually makes no difference to the pronunciation of the word. Therefore you have to listen for or say **something else** which indicates that the noun is plural. This is usually indicated by a changing *le/la/l'* to *les*, or *un/une* to *des*, or by a number:

le train	*les trains*
la chaussure	*les chaussures*
l'avion	*les avions*
un élève	*des élèves*
une chemise	*des chemises*
un magasin	*trois magasins*

Practise these examples and note how it is the **beginning, and not the end** of the spoken phrase that tells you it is plural!

This also happens with the demonstratives *ce/cette/ces* (see Chapter 6) and the possessives *mon/ma/mes* etc. (see Chapter 7).

b Plurals which don't behave: irregular plurals

■ Nouns ending in *-s*, *-x*, *-z* don't add anything in the plural:

un bus	*des bus*	bus/es
un choix	*deux choix*	choice/s
le nez	*les nez*	nose/s

■ Nouns ending in *-eau*, *-au* and most ending in *-eu* add *-x*:

un gâteau	*des gâteaux*	cake/s
un cadeau	*des cadeaux*	gift/s, present/s
un tuyau	*des tuyaux*	pipes
un feu	*des feux*	fire/s
un jeu	*des jeux*	game/s

But **NOT** *pneu/pneus* tyre(s)

■ Some nouns ending in *-ou*, but not all add, *-x*:

le bijou	*les bijoux*	jewel/s
le chou	*les choux*	cabbage/s
le chou-fleur	*les choux-fleurs*	cauliflower/s
le genou	*les genoux*	knees

But
le clou	*les clous*	nail/s
le trou	*les trous*	hole/s

■ Most nouns ending in *-al* change to *-aux*:

un journal	*des journaux*	newspaper/s
un animal	*des animaux*	animal/s
un cheval	*des chevaux*	horse/s

■ One noun is totally irregular:

*un **oeil***	*des **yeux***	eye/s

 Prêts?

1 Casse-tête touristique
Voici une liste de 20 noms trouvés dans un dépliant touristique. Classez-les en deux

groupes: masculin et féminin, en mettant *le, la, l'* ou *les* devant ces noms. Essayez de le faire d'abord sans dictionnaire!

Here's a list of 20 nouns you might find in a tourist brochure. Put them into two groups: masculine and feminine, and put *le, la, l'* or *les* before them as appropriate. Try to do it without a dictionary first!

tourisme	voyage	piscine	pique-nique
pension	station-service	promenade	kilomètre
voiture	musée	automne	boisson
circulation	garage	avion	réception
hôtel	bagages	cadeau	plage

2 Quel est l'intrus?

Dans chacune de ces listes de cinq mots, il y a un intrus **à cause de son genre**. Identifiez-le et dites pourquoi.

In each of these lists of five words there is an odd one out **because of its gender**. Say which one it is, and why.

1. fromage, garage, page, visage, péage.
2. château, gâteau, tableau, cadeau, eau.
3. camion, question, manifestation, exposition, profession.
4. poupée, musée, soirée, entrée, année.
5. poire, cerise, pommier, fraise, framboise.
6. carotte, salade, concombre, tomate, pomme de terre.
7. église, gare, place, rue, passage clouté.
8. sécurité, nationalité, marché, santé, amitié

3 Les courses

Votre correspondant en France vous écrit, en décrivant les courses qu'il fait pour sa mère. Mais il a de grands problèmes avec les terminaisons des noms! Corrigez-les-lui! (Il y en a quinze.)

Your pen-pal in France writes to you, describing the shopping he does for his mum. But he has big problems with his noun endings! Correct them for him! (There are 15.)

Ce matin je suis allé acheter trois baguette fraîches, six croissant et les journal du dimanche, mais il n'y avait pas de tarte aux fruit, alors j'ai pris des gâteau au chocolat. Et puis je suis allé dans le magasin de jouet pour acheter des cadeau pour mes parent et des poupée avec des longs cheveu pour ma cousine Sophie. Demain je vais chez le marchand de légume pour acheter des carotte, des chou verts et des laitue.

Partez!

4 En classe

La classe est divisée en deux équipes. Chaque élève doit nommer quelque chose qu'il/elle voit, avec *un/une* ou *le/la*. Si le genre est correct, il/elle gagne un point. Divide the class into two teams. Each pupil has to name something he/she can see, with *un/une* or *le/la*. If the gender is correct, he/she gains a point.

5 Au grand magasin

a. Chaque élève doit dire ce qu'il/elle a acheté au grand magasin, mais les articles doivent alterner entre masculin et féminin.

Each pupil has to say what he/she has bought in the department store, but the articles must alternate between masculine and feminine.

Exemple:

Elève 1: Moi j'ai acheté un ballon. **Elève 2:** Et moi, une raquette.
Elève 3: Et moi, un maillot de bain. **Elève 4:** J'ai acheté des chaussures.

b. Après vous être entraînés, vous pourriez jouer à répéter tout ce que les autres élèves ont acheté.

After some practice, you could play, each one repeating all that the pupils before have bought.

Exemple:

Nous avons acheté un ballon; nous avons acheté un ballon et une raquette, etc.

6 Cours de géographie

Regardez une carte d'Europe, de préférence en français. Prenez note des noms des pays principaux (cherchez-les dans un dictionnaire si votre carte est en anglais). Quels sont les pays européens qui sont masculins? (Il y en a très peu!)

Look at a map of Europe, preferably in French. Note down the names of the main countries (look them up in a dictionary if your map is in English). Which European countries are masculine? (There aren't many!)

7 Vous vous préparez pour aller en France

La semaine prochaine vous allez chez votre correspondant(e) en France. Vous aurez besoin de vêtements et d'articles de toilette, et aussi de choses à offrir à sa famille. Faites une liste des choses dont vous aurez besoin en indiquant combien il en faudra.

Vive la Grammaire!

Next week you are going to stay with your French pen-friend. You'll need clothes, toilet articles and also gifts for his/her family. Make a list of articles and how many you will need.

Exemple:
cinq chemises, deux shorts, deux paquets de thé, etc.

2

'A', 'THE' AND 'SOME'
articles and expressions of quantity

 **A vos marques!**

What is an 'article'?

'Article' is the name given to the words for:

1. 'a/an' = **indefinite** article: 'a house', 'an orange'. It's called 'indefinite' because it doesn't refer to a particular house or orange.
2. 'the' = **definite** article: 'the house', 'the orange'. It's called definite because you know which house or orange you are talking about.
3. 'some/any' = the **partitive** article, because it only refers to 'some' or 'part' of what you are talking about: '*some* houses' (not *all* houses), 'give me *some* orange' (not *all* of it) or '*some* oranges' (not *all* of them).

1 The definite article: *le / la / l' / les*

a Form

The French for 'the' is:

■ *Le* for a masculine noun singular: *le lait* 'the milk', *le frère* 'the brother'.

■ *La* for a feminine noun singular: *la glace* 'the ice cream', *la soeur* 'the sister'.

■ *L'* for masculine or feminine singular beginning with a vowel or *h* (in most cases): *l'arrêt* 'the stop', *l'église* 'the church', *l'homme* 'the man', *l'heure* 'the time'.

■ *Les* for all plural nouns: *les frères* 'the brothers', *les soeurs* 'the sisters', *les glaces* 'the ice creams'. The *-s* is pronounced *-z* before a vowel or an *h*: *les‿arrêts* 'the stops', *les‿églises* 'the churches', *les‿hommes* 'the men'.

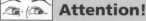 **Attention!**

1. Remember that it is the sound of the article that shows that the noun is plural: you don't sound the *-s* or *-x* on the end of the noun!
2. There are a few nouns beginning with *h* where you both say and write *le/la* in full: *le haricot* 'bean', *la haie* 'hedge'. You do not pronounce the *-s* of *les* in the plural: *les haricots*, *les haies*. Learn these as you meet them – there are not many!
3. This article always combines with *à* ('to', 'at') and *de* ('of', 'from') as follows:

   à + *le* = *au* (*au cinéma* 'to/at the cinema', *au centre ville* 'to the town centre')
   à + *les* = *aux* (*aux portes* 'to/at the doors', *aux femmes* 'to the women')
   But *à l'* and *à la* are not affected.

   de + *le* = *du* (*la porte du salon* 'the door of the lounge')
   de + *les* = *des* (*les portes des maisons* 'the doors of the houses')
   But *de l'* and *de la* are not affected.

   This is also the form of the Partitive Article in Section 3 below.

b How do you use the definite article?
You use it as in English, but remember also to use it:

■ With the names of countries and languages except after *en*:

La France est plus grande que l'Angleterre.	France is bigger than England.
Nous allons en Allemagne.	We're going to Germany.
Nous avons des dépliants en allemand.	We've got some leaflets in German.

■ When you talk about things in general:

Les routes françaises sont larges.	French roads are wide.
Je n'aime pas le poisson.	I don't like fish.

■ When you **talk about** or **do something** to a part of the body:

Je me suis brûlé la main.	I burnt my hand.
Il faut ouvrir la bouche.	You must open your mouth.
Elle a les yeux bleus.	She has blue eyes.

■ Meaning 'per' with measures:

Les pommes sont à 11 francs le kilo.   Apples are 11 francs a/per kilo.

2 The indefinite article: *un*/*une*/*des*
a Form
The French for 'a/an' is:

■ *un* before a masculine singular noun: *un paquet* 'a packet', *un garçon* 'a boy'. The -*n* is pronounced when the noun begins with a vowel or *h*-: *un arrêt* a stop, *un homme* a man (**not** in *un haricot* – see Section 1 above).

■ *une* before a feminine singular noun: *une bouteille* a bottle, *une fille* a girl.

■ Before a plural noun, *des* 'some', is used. This is part of the partitive article, which is explained fully in Section 3 below.

b How do you use the indefinite article?
You use the indefinite article roughly as in English except that:

■ you don't use it with professions and occupations after *être* to be and *devenir* to become:

*Mon oncle **est ingénieur***   My uncle is an engineer
*mais son fils est **devenu professeur***   but his son became a teacher

However, you use *un(e)* if there is an adjective describing the occupation:

*Alexandre Eiffel était **un** ingénieur célèbre*   Alexandre Eiffel was a famous engineer

■ it usually becomes *de* after a negative verb. Compare:

*J'ai acheté **un** cadeau pour ma soeur*   I've bought a present for my sister
*Je n'ai pas acheté **de** cadeau pour ma soeur*   I haven't bought a present for my sister

This also happens with the partitive article: see also Section 3 below.

3 The partitive article: *du* / *de la* / *de l'* / *des*
a Form
This article means 'some' or 'any' and has the following forms:

■ Masculine singular – *du*: *du sucre* some sugar, *du parfum* some perfume.

■ Feminine singular – *de la*: *de la crème* some cream, *de la pluie* some rain.

- Singular before a vowel or *h* – *de l'*: *de l'argent* some money, *de l'eau* some water.

- Plural – *des*: *des enfants* some children, *des fraises* some strawberries.

b How do you use the partitive article?
It means 'some' or 'any':

*Avez-vous **du** lait frais, s'il vous plaît?*	Have you any fresh milk, please?
*Je voudrais aussi **de la** confiture.*	I'd also like some jam.
*Tu veux **de l'**omelette?*	Would you like some omelette?
*Nous avons vu **des** oiseaux sur le lac.*	We saw some birds on the lake.

Attention!

1. It is very seldom that a noun can be used in French without some kind of article, and this partitive article often has to be used where we would not use any in English.

   *Je vais au supermarché acheter **du** jambon, **des** pommes, **de l'**eau minérale, **du** papier hygiénique, **du** shampooing . . .*
   I'm going to the supermarket to buy ham, apples, mineral water, toilet paper, shampoo . . .

*Tu aimerais mieux **du** café ou **du** thé?*	Would you prefer coffee or tea?

2. Like *un/une/des* in **2** above, this article usually becomes simply *de* after a negative verb:

*Je ne veux pas **de** café.*	I don't want (any) coffee.
*Il n'y a pas **de** trains aujourd'hui.*	There aren't any trains today.
*Je n'ai pas eu **de** problèmes.*	I haven't had any problems.

3. You also just use *de* after most expressions of quantity, such as *combien de?* how much/many? *beaucoup de* much/many, a lot of, *assez de* enough, quite a lot of, *peu de* few, not many, *un peu de* a little, a bit, *trop de* too much, too many; and also weights, measures, containers: *un demi-kilo de, une bouteille de, une boîte de*, etc.

***Combien de** timbres voulez-vous?*	How many stamps do you want?
*Il y a **trop de** monde ici.*	There are too many people here.
*J'ai **très peu** d'argent.*	I've very little money.
*Je voudrais **une bouteille de** coca-cola.*	I'd like a bottle of coca-cola.

> This last rule does not apply after *encore du/de la/des* 'more of' and *la plupart du/de la/des* 'the majority of', 'most of':
>
> *Est-ce que tu veux **encore de la** salade?* Do you want any more salad?

 **Prêts?**

1 Quel travail!

Vous travaillez comme jeune fille/jeune homme au pair dans une famille française. Ils ont laissé une liste des choses à faire. Comme vous n'avez pas très envie de commencer, vous vous amusez à remettre les articles définis *le, la, l', les* dans la liste!

You are working as an au pair in a French family. They have left you a list of the things to do. As you don't much feel like starting, you amuse yourself putting in the definite articles *le, la, l', les* in the list!

sortir chien	sortir le chien.
faire vaisselle	
passer aspirateur	
faire courses	
acheter journal	
nettoyer cage des canaris	
appeler garagiste	
repasser chemises	
aller voir voisine	
aller chercher enfants au CES	
préparer dîner	

2 L'anniversaire

Votre correspondant français est maintenant chez vous en Grande-Bretagne. Son père lui écrit, mais il a omis tous les articles dans sa lettre. Ajoutez-les!

Your penfriend is staying with you in Britain. His father writes to him, but he has left out all the articles in his letter. Put them in!

Ma chère Antoinette,

Aujourd'hui je suis libre et seul, et c'est pourquoi j'ai décidé de t'envoyer .... lettre. J'ai oublié d'y mettre tous .... articles pour faire un petit exercice de français pour ton ami(e).

Comme tu sais, hier c'était .... anniversaire de ta mère et je lui ai fait .... surprise. .... matin j'ai acheté des roses et .... croissants, j'ai fait .... café et je lui ai porté .... petit, déjeuner .... lit. Puis vers sept heures .... soir, tante Amélie et tonton Jean sont arrivés et lui ont porté .... cadeaux: .... parfum, ... collier, et .... fleurs. Plus tard dans .... soirée, nous sommes allés .... restaurant. Quel bonheur! En sortant, ta mère a levé .... mains .... visage et a pleuré de joie.

Aujourd'hui, elle fait .... voyage en Italie pour son travail.

Exemple:
– Tu vois **des** voitures dans la vallée?
– Non, je ne vois pas/il n'y a pas **de** voitures.

1. Tu vois des usines?
2. Tu vois des gens dans les rues du village?
3. Est-ce qu'il y a des magasins?
4. Est-ce que tu vois de la fumée sortir des cheminées?
5. Il y a un bar?
6. Il y a beaucoup de maisons?
7. Est-ce qu'il y a de la neige dans la vallée?
8. Est-ce que tu vois des animaux dans cette vallée?

3 Pas grand-chose dans la vallée!

Zaïd est à la montagne avec son frère. Il observe la vallée avec ses jumelles. Il répond négativement aux questions de son frère. Attention à l'article partitif!
Zaïd is in the mountains with his brother. He is looking at the valley through his binoculars. He replies in the negative to his brother's questions. Take care with the partitive articles!

Partez!

4 Le jour français du collège

Vous préparez votre collège pour un 'jour français', et vous faites des étiquettes pour les salles, les meubles, etc. – pour tout ce qui est visible! Ecrivez l'article défini devant chaque nom.

You are preparing your school for a French Day, and you are writing the labels for the rooms, furniture, etc. – for everything that's visible! Write the definite article in front of each noun.

Exemples:

le rétroprojecteur, la salle de français, les toilettes des garçons.

5 Au magasin d'alimentation du camping

Chaque élève achète trois articles à manger à l'alimentation du camping.
Each pupil buys three things to eat at the campsite foodshop.

Exemple:

Moi, j'ai acheté du pain, de la saucisse et des carottes.

6 J'en ai beaucoup!

Dites si vous avez *beaucoup de*, *assez de*, *peu de* ou *pas de* – des choses suivantes.
Say whether you've gots lots of, quite a lot of, not a lot of or none of the following things.

Exemple:

J'ai beaucoup d'amis, mais je n'ai pas d'argent.

argent	amis	livres	CD	jeux vidéo	cassettes	posters	vêtements

Vous pouvez continuer avec d'autres objets de votre choix.
You could continue with some other things of your choice.

3

WHAT'S IT LIKE?

adjectives

 **A vos marques!**

What is an adjective?
An adjective is a word that describes a noun: a **green** dress, an **old** man, the bread is **fresh**.

1 Making adjectives 'agree'
In French you have to change the ending of adjectives according to the gender (masculine/feminine) and number (singular/plural) of the noun(s) they describe.

a 'Regular' adjectives
The form you are given in a dictionary is the masculine singular, eg *vert* 'green'. To form the masculine plural you add *-s*: *verts*. To make the feminine singular you add *-e*: *verte*, and to make the feminine plural you add *-es*: *vertes*.

Singular		Plural	
masculine	**feminine**	**masculine**	**feminine**
un anorak **vert** a green anorak	*une chemise* **verte** a green shirt	*deux anoraks* **verts** two green anoraks	*deux chemises* **vertes** two green shirts

You don't add *-s* for masculine plural if the adjective ends in *-s* or *x*:

Singular		Plural	
un film **anglais** an English film	*un enfant* **heureux** a happy child	*des films* **anglais** English films	*des enfants* **heureux** happy children

And you don't add *-e* for the feminine if the adjective ends in *-e* already:

masculine		feminine	
un sac jaune	a yellow bag	*une jupe jaune*	a yellow skirt

b 'Irregular' adjectives

Some adjectives do not quite behave according to the above pattern:

■ Adjectives ending in *-al* form their masculine plural in *-aux*: *national/nationaux, principal/principaux*; the feminine is not affected: *nationale(s)*.

> *le sport national*   the national sport *les sports nationaux*   the national sports

■ Adjectives ending in *-el*, and *-en* double the consonant to *-elle(s)*, and *-enne(s)*: *naturel(s)/naturelle(s), sensationnel(s)/sensationnelle(s); italien(s)/italienne(s)*:

> *C'est une vedette italienne*   She's a fantastic Italian film-star!
> *sensationnelle!*

■ Adjectives ending in *-eux* do not add *-s* in the masculine plural, and form their feminine in *-euse(s)*:

masculine		feminine		
singular	**plural**	**singular**	**plural**	
heureux	*heureux*	*heureuse*	*heureuses*	happy
joyeux	*joyeux*	*joyeuse*	*joyeuses*	joyful

> *Marie-Françoise était très heureuse*   Marie-Françoise was very happy

Conseil

The following common adjectives are best learnt individually:

bas	*basse*	low
épais	*épaisse*	thick
gros	*grosse*	large, fat
neuf	*neuve*	new
cher	*chère*	dear
fier	*fière*	proud
blanc	*blanche*	white

sec	*sèche*	dry
frais	*fraîche*	fresh
bon	*bonne*	good
complet	*complète*	complete, full
inquiet	*inquiète*	worried, anxious
secret	*secrète*	secret
favori	*favorite*	favourite
long	*longue*	long
doux	*douce*	soft, gentle

*J'ai acheté une chemise **neuve**. Elle est **blanche** – ma couleur **favorite**!*
I've bought a new shirt. It's white – my favourite colour!

■ In addition, the following adjectives have irregular forms plus a special masculine singular form before a vowel or *h*:

beau (bel)	*beaux*	*belle*	*belles*	beautiful
nouveau (nouvel)	*nouveaux*	*nouvelle*	*nouvelles*	new
fou (fol)	*fous*	*folle*	*folles*	mad, silly
vieux (vieil)	*vieux*	*vieille*	*vieilles*	old

*C'est un **bel** enfant!*   He's a beautiful child!
*C'est un **vieil homme** maintenant et sa femme est **vieille** aussi.*
He's an old man now, and his wife is old as well.

■ Abbreviated adjectives don't have to agree: *super, sensass, extra, sympa*:

*Elsa et Muriel sont deux filles très **sympa**.*	Elsa and Muriel are two very **pleasant** girls.

c Materials
There are few adjectives to describe the material something is made of, so you use *de* + the material (you might also find *en* instead of *de*):

une table de bois	a wooden table
un chemisier de soie	a silk blouse
une montre en plastique	a plastic watch
un sac en cuir	a leather handbag

2 The position of adjectives

a Adjectives after the noun

Adjectives nearly always come **after** the noun they describe, as in nearly all the examples so far.

However, some very common ones usually come **before**: *bon* good, *beau/belle* beautiful, *grand* big, *gros* fat, *haut* tall, *joli* pretty, *long* long, *mauvais* bad, *meilleur* better, *nouveau/nouvelle* new, *petit* small, little, *vieux/vieille* old.

un bon repas	a good meal
une belle fille	a good-looking girl
une grande omelette	a large omelette
un haut bâtiment	a tall building
un joli village	a pretty village
un petit enfant	a small child
une vieille dame	an old lady

b Adjectives after *être*, *devenir* and *sembler*

The adjective still has to agree with the noun it describes, even if it is separated from it by a verb such as *être* 'to be', *devenir* 'to become' or *sembler* 'to seem':

Juliette *était* **ravie** *de ses cadeaux*	Juliette was delighted with her gifts
La terre *est devenue* **sèche**	The land became dry
Les enfants *semblent* **fatigués**	The children seem tired

3 'Determiner' adjectives

'Determiner' is just a collective name that modern grammars use for words like 'this' 'that' (demonstratives, see Chapter 6), 'my', 'your', etc. (possessives, see Chapter 7), and the following words, which are adjectives. Note the need to agree where stated:

■ *chaque* each, every (always singular, so no changes needed):

Chaque *fille et* **chaque** *garçon.*	Each girl and each boy.

There is also a pronoun form *chacun/chacune* 'each one':

Chacun *de ces* **garcons** *et* **chacune** *de ces* **filles**.	**Each one** of these **boys** and **each one** of these **girls**.

■ *tout, tous, toute, toutes* all

Tous *les trains vont à Paris.*	**All** the trains go to Paris.

*J'ai mangé **toute** la tarte!*　　　　I've eaten **all** the tart/ the **whole** tart!

Note also: *tout* as a pronoun means 'everything':

*Nous avons **tout** vu.*　　　　We've seen **everything**.

Tout le monde means 'everybody' and takes a singular verb:

***Tout le monde** est arrivé.*　　　　**Everybody** has arrived.

■ *Un tel, une telle* (singular), *de tels, de telles* (plural) such a, such

*Je ne crois pas **une telle** histoire!*　　　　I don't believe **such a** story!
*Je ne crois pas **de telles** choses!*　　　　I don't believe **such** things!

■ *Plusieurs* several (always plural, no different feminine form):

*Ils ont **plusieurs** enfants.*　　　　They've got **several** children.

■ *Quelques* some, a few (mainly used in the plural):

*J'ai apporté **quelques** vidéos.*　　　　I've brought **a few** videos.

■ *Autre, autres* other, *d'autres* any other

*Je voudrais essayer **l'autre** robe.*　　　　I'd like to try the **other** dress.
*Où sont les **autres** enfants?*　　　　Where are the **other** children?
*Avez-vous **d'autres** chaussures brunes?*　　　　Have you **any other** brown shoes?

 **Prêts?**

1 Au gîte

Vous avez passé quinze jours dans un gîte rural en France. A votre départ, on vous demande de remplir un questionnaire pour donner votre avis sur le gîte. Vous le complétez, en choisissant le seul adjectif de la ligne qui s'accorde avec le nom qu'il décrit!

You've spent a fortnight in a country cottage in France. When you leave, you are asked to fill in a questionnaire giving your opinion on the cottage. You complete it, choosing the only adjective which agrees with the noun it describes!

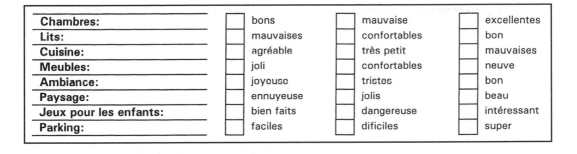

Chambres:		☐ bons		☐ mauvaise		☐ excellentes
Lits:		☐ mauvaises		☐ confortables		☐ bon
Cuisine:		☐ agréable		☐ très petit		☐ mauvaises
Meubles:		☐ joli		☐ confortables		☐ neuve
Ambiance:		☐ joyeuse		☐ tristes		☐ bon
Paysage:		☐ ennuyeuse		☐ jolis		☐ beau
Jeux pour les enfants:		☐ bien faits		☐ dangereuse		☐ intéressant
Parking:		☐ faciles		☐ dificiles		☐ super

2 A l'école

Votre soeur est à l'école en France pour une dizaine de jours et elle vous écrit en français pour parler de son expérience. Faites accorder ses adjectifs!

Your sister is at school in France for about ten days, and she writes to you in French to talk about her experience. She forgets to make her adjectives agree, so you do it for her!

> L'école de ma corres est *sensationnel*. Les profs sont très *amusant*. Avec Mme Aubriot, la prof d'EPS, on fait des exercices *intéressant*. Mlle Fronsac, la prof d'anglais est très *vieux* mais elle est *sympa* et ses cours sont très *vivant*. Bien sûr, j'ai de *gros* difficultés en français. La grammaire *français* me semble *difficile*. Ce que j'adore, c'est la cantine. La nourriture est très *bon* et *abondant*. La viande est *frais*, et les crudités sont *délicieux*. Les desserts sont *sensass*. En un mot, je suis *heureux*. C'est une *nouveau* expérience et les écoles *français* me semblent *incroyable*!

3 Les cris du marché

Voici les cris des vendeurs sur le marché de votre ville jumelle. Pour chaque groupe de deux cris, seul l'un des cris est correct. Choisissez le bon cri.

Here are the shouts of the stallholders on the market in your twin town. For each pair only one is correct: choose the right one.

1. a. Achetez cette longue robe rouge!
   b. Achetez cette rouge robe longue!
2. a. Venez voir ce grand lit confortable!
   b. Venez voir ce confortable grand lit!
3. a. Approchez! Admirez ce magique robot petit!
   b. Approchez! Admirez ce petit robot magique!
4. a. Approchez! Approchez!! Ecoutez cette ancienne musique jolie!
   b. Approchez! Approchez!! Ecoutez cette jolie musique ancienne!
5. a. Venez admirer ces grandes parlantes poupées!

    b. Venez admirer ces grandes poupées parlantes!

6. a. Venez acheter ces vieux bijoux magnifiques!

    b. Venez acheter ces vieux magnifiques bijoux!

7. a. Regardez cette belle chaise en bois!

    b. Regardez cette belle en bois chaise!

4 La famille de Romain

Voici quelques détails sur la famille de Romain. Complétez les phrases, en choisissant un des mots de la case. Utilisez chaque mot une fois seulement!
Here are some details about Romain's family. Complete the sentences by choosing one of the words from the box. Use each word once only!

Romain a deux frères. Simon habite à la maison. Son .... frère, Bruno, est à l'université. Il a aussi .... cousins. .... ses cousins habitent près d'ici. Il va sans dire, alors, qu'il a aussi .... oncles et tantes. .... jour il voit au moins un de ses cousins à l'école. Je n'ai jamais vu .... famille!

quelques	une telle	autre	chaque	plusieurs	tous

Partez!

5 Quelques portraits

Vous pouvez faire cet exercice oralement ou par écrit.
You can do this exercise orally or written.

1. Le père de votre correspondant(e) va vous chercher à l'aéroport, mais il ne vous connaît pas. Décrivez vous-même.
Your pen-friend's father is coming to meet you at the airport, but he doesn't know you. Describe yourself.

2. Votre correspondant(e) va rencontrer un(e) de vos camarades de classe, qu'il/elle ne connaît pas. Décrivez-le/la.
Your pen-friend is going to meet one of your classmates he/she doesn't know. Describe your classmate.

H 6 Encore les cris du marché

Imaginez encore des cris des vendeurs du marché comme dans l'exercice 3.
Imagine some more market cries like those in exercise 3.

7 *A quoi est-ce que je pense?*

Un(e) élève doit penser à un objet qui se trouve dans votre salle de classe. Les autres doivent lui poser des questions contenant au moins un adjectif. L'élève ne doit utiliser que 'oui' et 'non' dans ses réponses. Celui qui devine l'objet correctement pense à un autre objet, et ainsi de suite.

One pupil thinks of an object in your classroom. The others have to ask him/her questions containing at least one adjective. The pupil may only use *oui* or *non* in his/her replies. The one who gets the correct answer thinks of the next object.

Exemple:

– Cet objet, est ce qu'il est grand?   – Oui.

– Il est long?   – Oui.

– Il est en bois?   – Oui.

– C'est la table du prof?   – Oui, c'est la table du prof.

Vocabulaire

il va sans dire	it goes without saying
incroyable	incredible
parlant	talking
la poupée	doll

4

HOW DO THEY DO THAT?

adverbs

 **A vos marques!**

What is an adverb?

An adverb is a word mainly used to describe a verb, ie to say how, when or where an action is done: you speak French **perfectly**; he goes to Paris **often/frequently**; she leaves her belongings **everywhere**. It can also be used to describe adjectives: this exercise is **terribly** difficult; but this one is **very** easy; and other adverbs: the French seem to speak **extremely quickly**!

As you can see from the above examples in English, adverbs can be words in their own right (**often**, **very**), or, quite often, they are adjectives with **-ly** on the end. The same sort of thing happens in French.

1 Adverbs as single words or phrases

An adverb can be a single word or sometimes you can have a whole 'adverbial' phrase. These words or phrases are often of:

■ **Time**, indicating **when?** or **how often?**: *maintenant* 'now', *hier* 'yesterday', *aujourd'hui* 'today', *demain* 'tomorrow', *demain après-midi* 'tomorrow afternoon', *souvent* 'often', *toujours* 'always', *tous les jours* 'every day', *quelquefois* 'sometimes', and many more.

■ **Place**, indicating **where?**: *ici* 'here', *là* 'there', *partout* 'everywhere', *dans la rue* 'in the street', and others.

■ **Manner**, indicating **how?**: *très* 'very', *assez* 'quite', *peu* 'not very', *trop* 'too', *si/tellement* 'so', and many adverbs ending in *-ment* – see Section 2 below.

> *Aujourd'hui nous allons voir le château et demain nous allons à la plage.*
> **Today** we're going to see the castle and **tomorrow** we're going to the beach.

> *Ces chaussures étaient trop chères. Pourquoi étaient-elles si chères?*
> Those shoes were **too** dear. Why were they **so** dear?

2 Adverbs formed from adjectives, ending in *-ment*

In English we can convert adjectives to adverbs by simply adding **-ly**, possibly with a minor spelling adjustment: 'frequent' becomes 'frequent**ly**', 'pretty' becomes 'pretti**ly**'. There is a similar device in French. To convert an adjective to an adverb, **make the adjective feminine** and add *-ment*:

Masculine	Feminine		Adverb	
heureux	*heureuse*	happy	*heureuse**ment***	happi**ly**
parfait	*parfaite*	perfect	*parfaite**ment***	perfect**ly**
sévère	*sévère*	severe	*sévère**ment***	severe**ly**

 Attention!

1. Adjectives ending in *-ant* or *-ent* (except *lent/lentement*) form adverbs ending in *-amment* or *-emment*:

fréquent	frequent	*fréque**mment***	frequently
évident	evident, obvious	*évide**mment***	evidently, obviously
courant	fluent	*coura**mment***	fluently

2. The following also do not quite follow the regular pattern:

vrai	real, true	***vraiment***	really, truly
absolu	absolute	*absol**ument***	absolutely
énorme	enormous	*énor**mément***	enormously
précis	precise	*préci**sément***	precisely
bon	good	***bien***	well
meilleur	better	***mieux***	better (see Chapter 5)

3 The position of adverbs

When an adverb is used to describe the action of a verb, it usually comes as close as possible to that verb:

*Est-ce que vous lisez **souvent** ce journal?*   Do you read this paper **often**?

*Michèle parle **très couramment** l'anglais.*   Michèle speaks English **very fluently**.

Prêts?

1 Comment dire la même chose

Quelquefois on peut utiliser un adverbe qui termine avec *-ment*, ou une expression qui signifie la même chose. Faites correspondre les expressions de la colonne **A** et de la colonne **B** qui ont le même sens.

Sometimes you can use an adverb ending in *-ment*, or another word or phrase to mean the same thing. Pair up the words or phrases in column **A** which match the adverbs in column **B**.

A	**B**
1. tout à coup	a. particulièrement
2. vite	b. silencieusement
3. surtout	c. approximativement
4. souvent	d. soudainement
5. sans bruit	e. immédiatement
6. peu à peu	f. fréquemment
7. avec soin	g. excessivement
8. trop	h. rapidement
9. à peu près	i. graduellement
10. tout de suite	j. prudemment

2 Un sondage

Marc fait un sondage sur les habitudes de vie des jeunes Français pour le journal de son école. Que répondent les élèves? Choisissez l'adverbe qui correspond au dessin.
Marc is conducting a survey about the lives of young French people for his school newspaper. What do the pupils reply? Choose the adverb which corresponds to the drawing.

1. Aimes-tu l'école? (toujours   quelquefois   jamais)
2. Comment travailles-tu? (lentement   moyennement vite   rapidement)
3. Fais-tu du sport? (peu   beaucoup   modérément)
4. Comment joues-tu au tennis? (bien   moyennement   mal)
5. Comment manges-tu? (beaucoup   peu   modérément)
6. Te couches-tu tard? (rarement   souvent   quelquefois)

1.   2.   3.

4. 5. 6.

H *3 Promenade à vélo*

Vous vous promenez à vélo dans une ville française et vous demandez votre chemin.
Complétez les réponses avec les adverbes contenus dans la case.
You are going for a bike ride in a French town and you ask your way. Complete the
answers with the adverbs in the box.

– Excusez-moi, comment va-t-on à la poste, s'il vous plaît?
– Oh! Vous pouvez y aller .... en traversant le parc, mais roulez .... Il y
  a des enfants qui jouent dans le parc.
– Où sont-ils? Je ne les vois pas.
– .... , mais faites attention .... autour de la camionnette du marchand
  de glaces.
– Est-ce que je peux aller à la poste en passant par la ville?
– Oui, mais plus .... Il y a des voitures qui roulent .... ; et puis, c'est
  .... un problème de garer son vélo; mais dans le parc, on se gare plus
  ....
– Je vous remercie, monsieur.
– De rien! Je vous félicite! Vous parlez français très .... !

surtout	partout	dangereusement	vraiment	facilement	directement
	couramment	prudemment	difficilement		

Partez!

4 Ne regardez pas!

a. Sans regarder ni les explications ni les exercices ci-dessus ni le dictionnaire, faites
   une liste de tous les adverbes que vous savez qui terminent en -*ment*. Qui a fait la
   liste la plus longue?

Without looking at the explanations or the exercise above, or the dictionary, make a list of all the adverbs that you can think of ending in *-ment*. Who has made the longest list?

b. Maintenant cherchez d'autres mots ou expressions qui veulent dire la même chose, comme dans l'exercice 1.
Now look for other words or phrases with the same meanings, as in exercise 1.

H *5 Un Français curieux*

Travail par deux. L'un imagine les questions d'un(e) Français(e) concernant la Grande-Bretagne et les Britanniques, et l'autre y répond par un adverbe. Changez fréquemment de rôle!
In pairs. One imagines the questions of a French person about Britain and the British, and the other replies with an adverb. Change roles frequently.

Exemples:
– Comment joue-t-on au rugby en Grande-Bretagne?   – Bien!
– Comment conduit-on?   – Prudemment!
– Quand prend-on un petit déjeuner 'anglais'?   – Quelquefois, le dimanche.

Vocabulaire

modérément	moderately
moyennement	averagely
prudemment	carefully

5

BIGGER AND BIGGEST
comparatives and superlatives

 ## A vos marques!

1 Comparatives

What is a comparative?

You use a comparative to compare things, people, actions, etc. There are three ways of making comparisons. You can say that something is:

■ **easi**er (or *more* **easy**) than something else,

■ *less* **easy**, or

■ *as* **easy** or *not so* **easy**.

You can do the same thing in French.

a More . . . (than)

In French, to say that something is **easier/more easy**, or that someone is **happier/more happy**, you use *plus + adjective*. 'Than' is *que*.

*Le français est **plus facile que** les maths.*	French is **easier than** maths.
*Marcelle est **plus heureuse que** Françoise.*	Marcelle is **happier than** Françoise.
*Je voudrais une tasse **plus** grande, s'il vous plaît.*	I'd like a **bigger** cup, please.

You can compare adverbs in exactly the same way:

*Jean-Pierre travaille **plus rapidement que** moi.*	Jean-Pierre works **faster than** I do.
*Mais Céline travaille **plus lentement**.*	But Céline works **more slowly**.

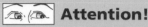 **Attention!**

The only time you do not use *plus* is with *meilleur* and *mieux* which both mean **'better'**. Study the difference very carefully.

Meilleur is to *bon* (**adjectives**) as *mieux* is to *bien* (**adverbs**):

Un **bon** repas	A **good meal**
un **meilleur** repas	a **better** meal
Tu joues **bien**	You're playing **well**
tu joues **mieux**	you're playing **better**

In other words, use *meilleur* with a **noun**, and *mieux* with a **verb**!

You will also come across *pire*, meaning 'worse':

Ici, c'est **pire**	Here, it's **worse**

b Less . . . (than)

To say that something is **less . . . (than)**, you use *moins . . . (que)*.

*Le français est **moins facile que** les maths.*	French is **less easy than** maths.
*Je voudrais une tasse **moins grande**, s'il vous plaît.*	I'd like a **less large** cup, please.
*Moi je travaille **moins rapidement que** Jean-Pierre.*	I work **less fast than** Jean-Pierre.

c As . . . as, not so . . . as

To say that something is **'as . . . as'** or **'not so . . . as'**, you use *aussi . . . que*, or *ne . . . pas aussi . . . que*

*Le français est **aussi facile que** les maths.*	French is **as easy as** maths.
*Le français **n'est pas aussi facile que** les maths.*	French **is not so easy as** maths.
*Tu parles anglais **aussi bien que** moi.*	You speak English **as well as** I do.
*Je **ne parle pas** français **aussi bien que** toi.*	**I don't speak** French **as well as** you.

2 Superlatives

What is a superlative?

A superlative is when you talk about 'the easi**est**', 'the **best**', 'the **most** interesting', or 'the **least** exciting'.

a 'The easiest, the most easy'

You say this in French by using *le/la/les plus* + *adjective*:

La matière **la plus facile** c'est le français.	The **easiest** subject is French.
Le train **le plus rapide** part à onze heures.	The **fastest** train leaves at 11.00.
Mes deux frères sont les enfants **les plus méchants** de la classe.	My two brothers are the **naughtiest** children in the class.
Sauvigny est **le plus joli** village de la région.	Sauvigny is the **prettiest** village in the area.

Attention!

1. When the adjective comes after the noun (in most cases), you repeat the *le/la/les* to correspond with the gender of the noun.

2. The superlative is always followed by *de* when you talk of 'the naughtiest **in** the class' *les plus méchants de la classe*, 'the prettiest **in** the area' *le plus joli de la région*, etc.

3. With an adverb you use *le plus* + *adverb*:

Jean-Pierre travaille **le plus rapidement**.	Jean-Pierre works **fastest** (the most quickly).

Attention!

'Best' is:

■ *le meilleur* (agreeing as necessary) + **noun**:

Ce sont **les meilleures cerises** du marché.	These are the **best cherries** in the market.

■ **verb** + *le mieux*: (*le* doesn't change)

C'est Catherine qui **parle** anglais **le mieux**.	It's Catherine who **speaks** English **best**.

b 'The least easy/easily'

You can get a 'negative' superlative by using *le/la/les moins* + **adjective** or *le moins* + **adverb**:

*La physique c'est la matière **la moins** facile.*	Physics is **the least easy** subject.
*C'est Roger qui parle anglais **le moins** bien.*	Roger speaks English **the least well**.

Prêts?

On fait des comparaisons

Dites à vos camarades ce que vous pensez de ces activités ou des ces aliments en utilisant *plus que, moins que, aussi que* et les adjectifs entre parenthèses. Attention à l'accord *est/sont* et des adjectifs!

Tell your classmates what you think of these activities or foods using *plus que, moins que, aussi que* and the adjectives in brackets. Watch out for the need for singular or plural *est/sont* and the agreement of the adjectives!

Exemples:

Le rugby est plus dangereux que le hand.

Les boums sont moins agréables que le cinéma.

La cuisine n'est pas aussi fatigante que la vaisselle.

1. le foot – le rugby – le tennis – le hand (intéressant – amusant – dangereux)
2. les boums – le cinéma – le concert (agréable – amusant – cher)
3. les maths – le dessin – l'EPS (facile – difficile – instructif)
4. la vaisselle – la cuisine – les courses (ennuyeux – amusant – fatigant)
5. l'hôtel – le camping – le gîte rural (intéressant – facile – cher)
6. la pizza – la salade – la crème caramel (bon – sucré – sain)

2 Testez vos connaissances de géographie

Répondez en faisant une phrase complète. Faites attention aux accords!

Reply using a complete sentence. Mind the agreements!

Exemple:

Quel est le plus petit pays du monde? (le Vatican – le Liechenstein – l'Albanie)

Le plus petit pays du monde, c'est le Vatican.

1. Quel est le plus long fleuve de France? (le Rhône – la Seine – la Loire)
2. Quelle est la montagne la plus haute du monde? (le Ben Nevis – le Mont Blanc – l'Everest)

3. Quel est le pays le plus peuplé du monde? (l'Inde – la Chine – la France)
4. Quelle est la ville la plus peuplée de France? (Lyon – Marseille – Paris)
5. Quel est le pays d'Europe où le nombre de divorces est le moins important? (l'Irlande – l'Italie – l'Espagne)
6. Quel est la frontière la plus longue du monde? (la frontière Canada–Etats Unis – la frontière Chine–Russie – la frontière France–Belgique)

 # Partez!

3 Comparé(e) avec moi . . .

Décrivez quelqu'un (de votre classe ou un personnage bien connu), en le comparant à vous sans le nommer. La classe devine de qui vous parlez.

Describe someone (in your class or a well known personality), comparing him/her to you, but without saying who. The class guesses who you are talking about.

Exemple:

Il/elle est plus grand(e) que moi. Il/elle est meilleur(e) en maths que moi. Il/elle n'est pas aussi mince que moi.

H 4 Ce n'est pas vrai!

Travail par deux. En utilisant des comparatifs et des superlatifs, l'un joue le rôle de votre correspondant(e) français(e), l'autre, c'est vous! Votre correspondant(e) vous fait des observations *incorrectes* sur votre région de Grande-Bretagne. Vous devez le/la corriger.

Pair work. Using comparatives and superlatives, one plays the role of your penfriend in France, and you play yourself. Your penfriend makes statements about your area of Britain which are *wrong*. You have to correct him/her.

Exemple: pour la région de Bristol: (adaptez les endroits à votre propre région)
for the Bristol area: (adapt the places to your own area)

– Bath est plus grand que Bristol, non?
– Non, Bristol est plus grand que Bath / Bath n'est pas aussi grand que Bristol.
– L'ancien pont sur le Severn est plus long que le nouveau, non?
– Non, le nouveau pont est plus long que l'ancien / l'ancien pont n'est pas aussi long que le nouveau.
– Glastonbury est le festival pop le moins populaire de la région parmi les jeunes, non?
– Non, Glastonbury est le festival pop le plus populaire de la région.

Vocabulaire

l'EPS	PE
fatigant	tiring
le gîte rural	country cottage
le hand	handball
important	(in this sense) significant
peuplé	populated

6

THIS AND THAT

demonstratives

 **A vos marques!**

What are demonstratives?

These are words you use when you want to point out ('demonstrate') something or somebody by saying 'this (one)' or 'that (one)'. There are three sorts in French, so read carefully the following explanations to help you sort them out!

1 *Ce (cet), cette, ces*

This is the demonstrative adjective, which must always be followed by a noun. It agrees like any other adjective, and can mean 'this' or 'that':

Ce vélo, *ces vélos*	**this/that** bike, **these/those** bikes
Cette voiture, *ces voitures*	**this/that** car, **these/those** cars

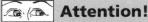 **Attention!**

1. There is a special masculine singular form before a vowel or silent h:

cet autobus	this/that bus
cet homme	this/that man

2. If (and *only* if) you need to make it crystal clear that what you are pointing out is **this** (here, by me) or **that** (there, by you, or over there), you put *-ci* (short for *ici*) on the end of the noun for **this**, and *-là* on the end for **that**:

*Donnez-moi un kilo de **ces** pommes de terre-**là** et un demi-kilo de **ces** carottes-**ci**.*	Give me a kilo of **those** potatoes and half a kilo of **these** carrots.

*Je voudrais **ce** gâteau-**ci** et **cette** baguette-**là**.*

I'd like **this** cake and **that** baguette.

(You could compare the English heard in some parts of Britain: 'this **here** cake and that **there** loaf'. We are not recommending you to use this expression in English, however!)

2 *Ceci* and *cela* (*ça*)

These are the words for 'this' and 'that' when pointing or referring to something without naming it:

*Et avec **ceci**?*	(literally) And with **this**? (this is what shopkeepers often say when they ask if you want 'anything else').
*Je n'aime pas **ça**.*	I don't like **that**, I don't like it (another common expression).
***Cela** me fâche.*	**That** makes me angry.

Ça is the shortened form of *cela* and is used frequently in spoken French.

In all the above examples, **'this/that'** does not refer to a particular named noun.

3 *Celui-ci, celui-là*

These forms, the demonstrative pronoun, mean 'this/that one', 'these/those ones', and refer to a specific noun. There are four forms, masculine and feminine, singular and plural, so you have to choose the right one for the noun you are referring to. They must end in *-ci* or *-là*, depending on whether they mean 'this' or 'that'.

Singular		
masculine	**feminine**	
celui-ci/là	*celle-ci/là*	this/that one

40

Plural		
masculine	**feminine**	
ceux-ci/là	*celles-ci/là*	these/those ones

*Tu aimes ce **pull**-ci? Oui, mais je préfère **celui-là**.*
Do you like this **pullover**? Yes, but I prefer **that one** (= the pullover – masculine).

*Que de **chemises**! J'aime bien **celle-là**.*
What a lot of **shirts**! I do like **that one**! (= the shirt – feminine).

*Je vais acheter des **sandwichs**. **Ceux-là** sont combien, s'il vous plaît?*
I'm going to buy some **sandwiches**. How much are **those** (= sandwiches – masculine) please?

*Voilà les **chaussures**. **Celles-ci** sont moins chères que **celles-là**.*
There are the **shoes**. **These** (= the shoes – feminine) are not so dear as **those** (= shoes – feminine).

 ## Conseil!

In all the above examples, the demonstrative agrees with the noun it represents.

 # Prêts?

1 On vous invite à un buffet
Votre ami Cédric vous invite à une fête pour son anniversaire, et sa mère a préparé un bon buffet. Choisissez la forme correcte de *ce/cet/cette/ces*. L'accord des autres adjectifs vous aidera.

Your friend Cédric invites you to his birthday party, and his mum has prepared a nice buffet. Choose the correct form of *ce/cet/cette/ces*. The agreement of the other adjectives will help you.

1. Tu veux (cet   cette   ce) pâté de canard?
2. Non, merci, je préfère (ce   cette   ces) belle terrine de porc!
3. Tu prends un peu de (cet   ce   cette) salade verte?
4. Non, j'aimerais mieux (ces   ce   cet) carottes râpées.
5. Tu vois (ce   ces   cette) chips au bacon? – Oui, j'en veux bien!
6. Tu vois (cette   ce   ces) beau saumon fumé? Tu en veux?
7. Non, j'aimerais mieux une de (ce   cet   ces) bonnes cuisses de poulet!
8. Tu as vu (cet   ces   ce) beau gâteau au chocolat? Tu en veux?
9. Il a l'air super, mais je voudrais essayer (cet   cette   ces) tarte aux poires.

H 2 Sélection pour l'équipe de hand

Votre correspondant français joue au hand dans une équipe mixte. Complétez la conversation de ses entraîneurs avec un des mots 'démonstratifs' de la case.
Your French penpal plays handball in a mixed team. Complete his trainers' conversation with one of the 'demonstrative' words from the box.

– J'aime beaucoup .... garcon. C'est un très bon milieu de terrain.
– Non, moi je préfère .... Il est plus tactique.
– Regarde .... fille. Elle joue super bien. Elle pourrait peut-être être goal?
– Non, ... est beaucoup plus rapide. Elle serait mieux.
– Et .... enfant tout timide, il faut l'encourager, le mettre ailier, par exemple.
– Non, ... est ridicule, il a trop peur. Nous voulons des gagneurs, ...
  garçons-.............. , par exemple.
– Pas d'accord! Ils ne sont pas sérieux! .... le sont beaucoup plus!
– .... es très difficile! Nous ne saurons jamais qui choisir!

ce	cette	cet	cela	celui-ci	celle-ci	ceux-ci	ceci	ces . . . -là

Partez!

3 Vous achetez des provisions

Vous faites les courses dans un petit magasin de village (ce n'est pas un supermarché où vous prenez vous-même les produits!). Le marchand/la marchande (votre camarade de classe) vous explique ce qu'il y a.

You are shopping in a small village shop (not a supermarket where you pick up the food yourself!). The shopkeeper (your classmate) will explain what he/she has. Swap roles from time to time.

Exemple:
A.   Je voudrais des **pommes**, s'il vous plaît.
B.   Oui, monsieur/mademoiselle. Il y a **celles-ci** à huit francs le kilo, et **celles-là** à neuf francs.
A.   Je prends un kilo de **celles-là**, s'il vous plaît.
B.   Bien. Et avec **ceci**?

Continuez. Vous pouvez acheter des pommes de terre, des carottes, un chou, du lait, du café, une bouteille de limonade, des chips, etc, etc . . .

H *4 On fait du lèche-vitrines*
Vous venez de passer des vacances chez votre correspondant(e) français(e), vous avez dépensé tout votre argent, mais vous faites du lèche-vitrines devant les grands magasins à Paris avant de prendre l'avion pour retourner en Grande-Bretagne.
You have just spent your holidays with your French pen-pal, you have spent all your money, but you are doing some window-shopping in the big Paris stores before catching the plane home. Make up conversations using the demonstratives you have been studying.

Exemples:
A.   Oh, j'aime bien **cette chemise-là**! Et **cette jupe-ci**!
B.   Moi je voudrais acheter **ces chaussures-là**, ou **celles-ci**.
C.   Regarde **cette raquette de tennis**! Et **ces skis-là**!
D.   Moi, je préfère ceux-là, et **ces chaussures de ski** sont sensass!

Vous pourriez peut-être voir aussi: une robe, un sac, des chaussettes, une bague, un bracelet, une/des boucle(s) d'oreille, une montre, etc.

H *5 Toujours quelque chose de meilleur*
Vous vous promenez dans la rue avec votre correspondant(e) français(e), qui indique et décrit les choses qu'il/elle voit. Mais vous voyez toujours quelque chose de meilleur . . .
You are walking along the street with your French pen-friend, who points out and describes what he/she sees. But you always see something better . . .

Vive la Grammaire!

Exemples:
A. Tu vois **cette** belle moto là-bas?
B. Oui, mais **celle-ci** est beaucoup plus belle, et plus grande!
C. Regarde **ces** CD à gauche!
D. Oui, ils ne sont pas mal, mais **ceux-là**, à droite sont beaucoup moins chers!

Vocabulaire

l'ailier	winger, on the wing
la bague	ring
la boucle d'oreille	earring
les carottes râpées	grated carrots
la cuisse de poulet	chicken leg
le gagneur	winner
le milieu de terrain	mid-field
le saumon fumé	smoked salmon
la terrine	terrine, a sort of pâté

7

WHOSE IS IT?

possessives

 **A vos marques!**

What's a possessive?
A possessive is a word that tells you who something belongs to: **my** bike, **your** house, **Chantal's** cat, this cake is **yours**, that dog is **Martin's**.

1 No 'apostrophe s' ('s)
One of the things English learners of French need to get used to is to use *de* every time you want to talk about someone's belongings:

*Le chien **de** Martin*	Martin**'s** dog
*Les frères **de** Chantal*	Chantal**'s** brothers
*La chambre **des** enfants*	The children**'s** room
*Les chaussures **des** élèves*	The pupil**s'** shoes
*Les footballeurs **de** France*	France**'s** footballers

2 My, your, his, her: the possessive adjective
The important thing to remember about this is that it agrees masculine/feminine/plural **with the thing you possess**:

Masculine	Feminine	Plural	
mon	*ma*	*mes*	my
ton	*ta*	*tes*	your (belonging to *tu/toi*)
son	*sa*	*ses*	his, her, its
notre	*notre*	*nos*	our
votre	*votre*	*vos*	your (belonging to *vous*)
leur	*leur*	*leurs*	their

Vive la Grammaire!

mon chien	my dog	*ma chambre*	my room
mes frères	my brothers	*mes soeurs*	my sisters
ton oncle	your uncle	*ta tante*	your aunt
notre fils	our son	*notre fille*	our daughter
nos fils	our sons	*nos filles*	our daughters
votre chemise	your shirt	*vos chaussures*	your shoes
leur maison	their house	*leurs problèmes*	their problems

Attention!

1. *Son/sa/ses* mean 'his', 'hers' or 'its', but changes according to the **thing possessed**, **not** the possessor: *son vélo* can mean either 'his bike' or 'her bike', because *vélo* is masculine, and *sa famille* can mean either 'his family' or 'her family', since *famille* is feminine. The possessor is usually obvious from the context:

*Paul a mis **son vélo** dans le garage.*	Paul put **his bike** in the garage.
*Chantal a mis **son vélo** dans le garage.*	Chantal put **her bike** in the garage.
*Kévin a envoyé une carte postale à **sa famille**.*	Kevin sent a postcard to **his family**.
*Claire a envoyé une carte postale à **sa famille**.*	Claire sent a postcard to **her family**.
*M. Albaret est allé en Angleterre avec **sa femme**.*	Mr Albaret went to England with **his wife**.
*Mme Albaret est allée en Angleterre avec **son mari**.*	Mrs Albaret went to England with **her husband**.

2. You say *mon*, *ton* and *son* before a singular word beginning with a vowel or silent *h*, even if it is feminine:

***mon amie** Michelle*	my (female) friend Michelle
ton école	your school
*Paris et **son histoire***	Paris and its history

3 Mine, yours, his, hers

a That's mine!

When you want to say something **is mine**, **yours**, **Jean's**, etc, after *être*, you use *à* + a noun or the disjunctive pronoun *moi*, *toi*, etc (see Chapter 9). 'Whose' is *à qui*?

*A qui est cette jupe? Est-ce qu'elle est **à toi**, Louise? Non, elle est **à Sylvette**.*
Whose is this skirt? Is it **yours**, Louise? No, it's **Sylvette's**.

46

*Cette montre n'est pas **à moi**, elle est **au professeur**.*
This watch isn't **mine**, it's **the teacher's**.

b Mine's better than yours!
Otherwise you use the **possessive pronoun**, which **agrees** masculine/feminine and singular/plural **with the noun it replaces**:

masculine		feminine		
singular	**plural**	**singular**	**plural**	
le mien	*les miens*	*la mienne*	*les miennes*	mine
le tien	*les tiens*	*la tienne*	*les tiennes*	yours (*tu*)
le sien	*les siens*	*la sienne*	*les siennes*	his, hers, its
le nôtre	*les nôtres*	*la nôtre*	*les nôtres*	ours
le vôtre	*les vôtres*	*la vôtre*	*les vôtres*	yours (*vous*)
le leur	*les leurs*	*la leur*	*les leurs*	theirs

*Ce **sandwich** est à moi. Le **tien** est sur la table.*
This **sandwich** is mine. **Yours** is on the table.
(*Le tien* refers to 'sandwich', which is masculine singular.)

*Ta **glace** est plus grande que **la mienne**! Et regarde **la sienne**!*
Your **ice cream** is bigger than **mine**! And look at **his/hers**!
(*La mienne* and *la sienne* are feminine singular and refer to *la glace*. *La sienne* could mean either 'his' or 'hers', but this would be obvious from the context of the conversation, as you would be pointing at the ice cream or its owner!)

*Voici **les chemises** d'équipe. **Les nôtres** sont bleues et **les leurs** sont vertes.*
Here are the team **shirts**. **Ours** are blue and **theirs** are green.
(*Les nôtres* and *les leurs* refer to *les chemises*.)

c My bike is newer than Marc's!
With a noun, you use the demonstrative pronoun (see Chapter 6):

masculine		feminine		
singular	**plural**	**singular**	**plural**	
celui	*ceux*	*celle*	*celles*	+ *de* + noun:

Mon **vélo** *est plus neuf que* **celui de Marc.**	My **bike** is newer than **Marc's.**
Notre **équipe** *est meilleure que* **celle de Saumur.**	Our **team** is better than **Saumur's.**

Prêts?

1 *A chacun ses goûts*

Les deux enfants de la famille Migault sont très différents. François aime la musique et Valérie aime le sport. Imaginez à qui appartiennent ces objets, en complétant les phrases ci-dessous selon les exemples.

The two Migault children are very different. François likes music and Valérie likes sport. Imagine who these objects belong to, completing the sentences below according to the examples.

Exemples:
Ce sont les baskets *de Valérie.*
C'est le violon *de François.*

C'est la raquette ....
C'est le piano ....
Ce sont les C.D. ....
Ce sont les skis ....
C'est le vélo ....
C'est le billet de concert ....
C'est le lecteur de C.D. ....
C'est le ballon ....

2 *Un garçon très étourdi*

François est très étourdi. Il prend toujours les affaires des autres. Lisez sa conversation avec sa soeur et continuez de la même façon.

François is very absent-minded. He's always taking other people's belongings. Read his conversation with his sister and continue in the same way.

– Regarde! Tu as mis *le T-shirt de papa*!
– Ah, oui! J'ai mis *son T-shirt*!
– Et tu as mis les lunettes de maman!

– Ah! pardon, j'ai mis .... !
– Et tu as mangé la glace de grand-mère!
– Oh! pardon, j'ai mangé .... !
– Et tu as pris mes clés!
– Oh zut! J'ai pris .... !
– François, tu as mis les bols des chiens dans le frigo!
– Oh, zut! J'ai mis .... !
– Et tu as mis ta brosse à dents dans le lave-vaisselle!
– Oh, pardon! J'ai mis .... !
– Et tu as gardé ton pantalon de pyjama!
– Oh, c'est vrai! J'ai gardé .... !
– Et tu as mis tes chaussures à l'envers!
– Oui, c'est exact j'ai mis .... ! Je suis une vraie catastrophe!

3 Ça devient insupportable!

Valéric continue les réprimandes à son frère. Réagissez comme dans l'exemple.
Valérie carries on telling her brother off. React as in the example.

– François! Tu as encore mis **les lunettes de maman**!
– Oh, oui! Ces lunettes sont **à maman**!
– Et tu as encore pris le T-shirt de papa!
– Oh, oui, ce T-shirt est .... !
– Et tu as encore mangé la glace de grand-mère!
– Oh, oui! Cette glace est .... !
– Et tu as jeté mes baskets à la poubelle!
– Oh! Ces baskets sont .... !
– Et tu as bu le lait du chat!
– Vraiment! Ce lait est .... !
– Et tu as pris les chewing-gums de Sophie!
– Oh! Ces chewing gums sont .... !
– Et tu as ouvert le courrier des voisins!
– Oh! Ce courrier est .... !

H 4 Antonio préfère le Portugal

Antonio vit en France, mais il préfère le Portugal, où vivent ses grands-parents. Il écrit à son correspondant anglais. Dans sa lettre, remplacez les expressions en italique par *le mien*, *le tien*, *le sien*, etc.
Antonio lives in France, but he prefers Portugal, where his grandparents live. He is writing to his British penfriend. In his letter, replace the phrases in italics with *le mien*, *le tien*, *le sien*, etc., making it agree as necessary.

Ma maison est belle, mais je préfère vivre au Portugal, dans la maison de ma grand-mère. *La maison de ma grand-mère* est au bord de la mer avec un grand jardin. En France, nous avons quelques fleurs au jardin, mais *les fleurs de ma grand-mère* sont plus grosses, plus colorées. Mon grand-père a acheté une planche à voile et nous nous amusons tous les deux. *Ma planche à voile* est plus petite que *la planche à voile de mon grand-père*, mais elle est plus rapide. Mes parents et moi, nous aimons beaucoup les restaurants portugais. Nous pensons que *les restaurants des Portugais* sont meilleurs que *nos restaurants*. Bientôt, nous allons nous construire une maison au Portugal. *La maison de mes grands-parents* est au bord de la mer, mais *notre maison* sera dans la montagne. J'espère que tu viendras nous y voir avec tes parents!

Partez!

5 *C'est le crayon de qui?*

Travaillez en groupes. Chaque élève met un objet sur la table. Le chef de groupe prend un des objets et demande: *C'est le crayon de John, Emma, etc?* Un(e) autre élève répond: *Non, c'est le crayon de Michael/Anne, etc* ou *Oui, c'est son crayon.*

Groupwork. Each pupil puts an object on the table and the group leader takes one of the objects and asks: *C'est le crayon de John, Emma, etc?* Another pupil answers: *Non, c'est le crayon de Michael/Anne etc,* or *Oui, c'est son crayon.*

Exemple:
– C'est le crayon de John?
– Non, c'est le crayon de Theresa *or* Oui, c'est son crayon.

6 *A qui est cette montre?*

C'est le même jeu, mais cette fois le chef de groupe demande, par exemple: *A qui est cette montre?* et on répond: *Elle est à Catherine.*

Same game, but this time the group leader asks, for example: *A qui est cette montre?* and the answer is: *Elle est à Catherine.*

7 *Un visiteur interplanétaire*

Travail par deux. Vous avez reçu un visiteur d'une autre planète, et vous lui montrez votre école. Comme il ne comprend pas très bien le français, il a l'habitude de répéter vos explications en forme de questions, auxquelles vous devez répondre. Bien sûr, il faut utiliser un possessif à chaque fois!

Pairwork. You are entertaining a visitor from another planet, and are showing him your school. As he doesn't understand French very well, he has the habit of repeating your explanations in the form of questions, which you have to answer, using possessives each time, of course!

Exemples:
– Voici notre salle de classe.
– Ah! C'est votre salle de classe?
– Oui, c'est notre salle de classe!

– Voici mes copines Sophie et Tiphaine.
– Ah! Ce sont tes copines Sophie et Tiphaine?
– Oui, ce sont mes copines Sophie et Tiphaine!!

– Et voici leur professeur.
– Ah, c'est leur professeur?
– Mais oui, c'est leur professeur!!!

8 On fait des comparaisons
Vous comparez vos possessions, votre famille etc avec celles de vos camarades.
You compare your possessions, family, etc with those of your friends.

– Voici ma montre. Elle est en plastique. Et la tienne?
– La mienne aussi, elle est en plastique.

– Voici mes grands-parents. Ils sont vieux. Et les vôtres?
– Les nôtres aussi sont assez vieux.

8

YOU AND I, THEM AND ME
personal subject and object pronouns

 **A vos marques!**

What is a pronoun?

A pronoun replaces a noun, so that you don't have to keep on repeating it. For example, instead of saying 'Trevor suggested that Tracy should meet Trevor at 7 o'clock and Tracy agreed', you would usually say: 'Trevor suggested that Tracy should meet **him** at 7 o'clock, and **she** agreed.' 'Him' stands for 'Trevor', and 'she' for Tracy. These pronouns are part of the series often called 'personal pronouns', because (surprise!) they refer to persons.

1 Subject pronouns

A subject pronoun is one which is the subject of the verb – the doer of the action. They are the ones you see when you look up a verb in a verb table:

je *mange*		**nous** *mangeons*	
tu *manges*		**vous** *mangez*	
il *mange*		**ils** *mangent*	
elle *mange*		**elles** *mangent*	
on *mange*			

je	I	*nous*	we
tu	you (familiar)	*vous*	you (polite and plural)
il	he, it (m.)	*ils*	they (m. and mixed)
elle	she, it (f.)	*elles*	they (f.)
on	one		

Attention!

1. *Je* becomes *j'* before a vowel: *j'ai, j'étais*, etc.

2. *Tu* or *vous*? *Tu* is singular only, and used only when talking to a member of your family, a close friend, a young person of your own age, a child or a pet. Otherwise use *vous* when talking to one person. If in doubt, use *vous* until you are asked to use *tu*! You use *vous* when talking to more than one person, regardless of who they are.

3. When you turn the verb round to make a question, if the verb ends in -*a* or -*e* you need to insert -*t*- before *il, elle, on*;

Que mange-t-il?	What does he eat?
Quand arrive-t-elle?	When does she arrive?
Que dira-t-on?	What will one/they say?

4. *On* means literally 'one', but is often the equivalent of 'they', 'you' in a general sense, or 'people':

*Qu'est-ce qu'**on** peut faire?*	What can one/we/you do?
***On** dit que ce n'est pas vrai.*	They/ people say that it's not true.

2 Object pronouns
Objects can be 'direct' or 'indirect'.

a Direct object pronouns
The direct object is the person or thing that suffers or undergoes the action of the verb:

'I bought **the ham**.' 'I bought **it**'. '**Ham**' is the direct object, and '**it**' is the pronoun which replaces the noun 'ham', also as the direct object.

*J'ai acheté **le jambon**. Je **l'**ai acheté.*

Some more examples of direct objects:

Monique saw **M. Lechat**.	*Monique a vu **M. Lechat**.*
Monique saw **him**.	*Monique **l'**a vu.*
The children broke **the windows**.	*Les enfants ont cassé **les fenêtres**.*
The children broke **them**.	*Les enfants **les** ont cassées.*

Vive la Grammaire!

The direct object pronouns in French are:

me	me	*nous*	us
te	you (familiar)	*vous*	you (polite and plural)
le	him, it (for m. noun)	*les*	them (m. and f.)
la	her, it (for f. noun)		

Attention!

1. Object pronouns usually come **before** the verb (but see Commands – Chapter 22).

   *Les glaces à la fraise? Je **les** adore!*
   Strawberry ice creams? I love **them**!
   *Tu connais ma cousine Françoise? Non, je ne **la** connais pas.*
   Do you know my cousin Françoise? No, I don't know **her**.

2. Remember that they come **before** an infinitive and **after** any verb that is linked to it:

   *Je vais **les lui** donner.*   I'm going to give **them to him**.
   *Je ne veux pas **vous** déranger.*   I don't want to disturb **you**.
   *Le médecin va **nous** voir demain.* The doctor is going to see **us** tomorrow.

3. *me, te, le, la* become *m', t', l'* before a vowel.

   *Je **t'**attends devant le cinéma.*   I'll meet **you** outside the cinema.
   *Nous **l'**avons vu(e) hier.*   We saw **him/her/it** yesterday.

4. In the perfect and other 'compound' tenses, it may be necessary to make the past participle agree when the object pronoun comes before it: see Chapter 27 for a full explanation.

   *Ces journaux? Je **les** ai déjà lus.*   Those newspapers? I've already read them.

5. The object pronoun *le* is often used in phrases such as *je le sais* 'I know', *je le crois* 'I think so'.

   – Il est difficile, ce problème! – Oui, je le sais!
   'This problem is a difficult one!' 'Yes, I know!'

b Indirect object pronouns

The indirect object 'receives' the direct object, and is frequently used with verbs like 'send', 'write', 'say' to. In fact, it is generally associated with the preposition *à*: 'to'

> *J'ai envoyé une carte postale **à mes parents**.*
> I sent a postcard **to my parents**.
> *Je **leur** ai envoyé une carte postale.*
> I sent **them** a postcard/I sent a postcard **to them**.
> (the postcard is the direct object, and **my parents/them** are the indirect object).
> *Qu'est-ce que la directrice **t'**a dit?*
> What did the headmistress say **to you**?
> *Elle **m'**a dit que je suis l'élève parfait(e)!*
> She told **me** (said **to me**) that I am the perfect pupil!

The indirect object pronouns are:

me	to me	*nous*	to us
te	to you (familiar)	*vous*	to you (polite and plural)
lui	to him, to her, to it	*leur*	to them

> *Je **vous** téléphonerai demain.* — I'll phone (to) **you** tomorrow.
> *Ils **nous** ont offert un si beau cadeau.* — They gave (to) **us** such a beautiful present.
> *La serveuse **leur** a apporté l'addition.* — The waitress brought **them** the bill.

👀 Attention!

Sometimes a verb will take an indirect object in French as opposed to a direct object in English, or vice versa:

> *Ils **nous** ont demandé cent francs.* — They asked **us** for 100 francs.
> *Quand ton professeur parle, il faut **lui** obéir!* — When your teacher speaks you must obey **him**!
> *Regarde cet avion! Regarde-**le**!* — Look **at** that plane! Look **at it**!

You will find a list of these verbs in Chapter 34, page 219.

c Direct and indirect objects together

When you have both a direct and an indirect object together, the direct comes first:

> *Nous avons écrit **les cartes postales à nos amis**.* — We wrote the postcards to our friends.

*Nous **les leur** avons envoyées.*	We sent **them to them**.
*Didier m'a donné **la bague**.*	Didier gave me the ring.
*Didier **me l'**a donnée.*	Didier gave **it to me**.
*N'envoie pas **cette lettre à ta mère**!*	Don't send that letter to your mother!
*Ne **la lui** envoie pas!*	Don't send **it to her**!

See Chapter 22 for what happens with positive commands (= do!).

3 Reflexive pronouns

These are the object pronouns you use with reflexive verbs: they can be the direct or indirect object according to the sense:

se laver   to wash (oneself)

*je **me** lave*	*nous **nous** lavons*
*tu **te** laves*	*vous **vous** lavez*
*il **se** lave*	*ils **se** lavent*
*elle **se** lave*	*elles **se** lavent*

You can see that the only pronoun which is different from the ordinary direct/indirect object pronoun is *se*, which means 'himself, herself, oneself, themselves' according to the subject of the verb.

You will find further information about these reflexive pronouns in Chapter 30 on Reflexive Verbs.

 **Prêts?**

1 Je connais le sujet

Par quel pronom sujet remplaceriez-vous ces noms ou pronoms?
Which subject pronoun would you replace these nouns or pronouns with?

le chien	Thomas et Sylvie
la machine à laver	la vendeuse du supermarché
toi et moi	ton frère et toi
les fourchettes	les vélos

2 Que donne le serveur?

A l'aide des mots suivants, faites des phrases avec un complément d'objet direct et un complément d'objet indirect. Ensuite remplacez tous les noms par des pronoms.

With the help of the words below, make up sentences with a direct and an indirect object. Then replace all the nouns with pronouns.

Le serveur donne . . .

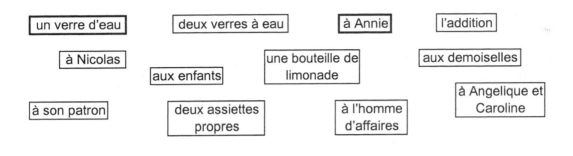

Exemple:
Le serveur donne ⟨**un verre d'eau**⟩ ⟨**à Annie**⟩.
Il **le lui** donne.

3 Le match de football
Dans ce commentaire d'un match de football entre Doullens et Albert, remplacez les noms en italique par *il, le, la* ou *lui*.
In this football commentary between Doullens and Albert, replace the nouns with *il, le, la* or *lui*.

Santini prend *la balle*. *Santini* voit Martin. *Santini* passe *la balle à Martin*. *Martin* prend *la balle* et se dirige vers les buts. Un joueur de l'équipe adverse, Rivière, voit *Martin*. Il rattrape *Martin*, prend *la balle* à son tour et court vers l'autre côté du terrain. Tous les spectateurs regardent *Rivière*. Ils crient *à Rivière*: 'Vas-y, Riri! Un but!'. *Rivière* tire et marque *le but*. Bravo Rivière!

4 Les trésors de Bernadette
Bernadette, une jeune Française, vous parle de ses trésors. Cherchez le bon pronom.
Bernadette, a young French girl, talks of her treasures. Choose the right pronoun.

Viens! Je vais (te   toi) montrer ma collection de timbres et de poupées. Tu vois toutes ces poupées? Regarde-(les   leur) bien. Ils viennent d'Inde. Mon père me (la les) amène quand il rentre de voyage. Il (lui   nous) aime beaucoup, ma soeur et moi. Il rentre le soir et il vient (nous   vous) voir dans notre chambre. Viens voir sa photo, que j'ai prise moi-même. Je vais te (la   leur) montrer. Il est à cheval. Le cheval s'appelle Fanfan. Nous irons (lui   le) voir demain.

H 5 *Au syndicat d'initiative*

Vous êtes dans une petite ville de la vallée de l'Authie dans la Somme et vous prenez quelques renseignements sur la région. Remplacez les pointillés par le pronom personnel qui convient.

You are in a little town in the Authie valley in the Somme and you are picking up some information about the area. Replace the dots with a suitable personal pronoun.

– Pouvez-.............. m'indiquer l'hôtel le meilleur marché de la ville?

– Oui, bien sûr. .... peux .... indiquer où .... se trouve. C'est l'hôtel du Lion d'Or, première rue à droite.

– Peut-.............. visiter l'Abbaye de Valloires?

– Oui, ... peut .... visiter de 9h à 18h.

– Et est-ce qu'.............. est possible de voir les orgues du XVIIIe siècle?

– Oui, bien sûr, on peut .... voir.

– Y a-t-il un guide?

– Oui, mais il faut .... téléphoner pour prendre rendez-vous; .... pouvez poser toutes sortes de questions. .... aime raconter l'histoire de ces orgues.

– Est-ce qu'il .... laissera jouer?

– Oui, bien sûr, il .... laissera jouer si .... êtes bon organiste, et .... montrera tout le mécanisme. C'est une visite très intéressante.

– Faut-il .... payer?

– Non, mais .... sera très heureux si vous .... donnez un pourboire.

– Je .... remercie beaucoup.

Partez!

6 *Maman/papa vous harcèle de questions*

Travail par deux. L'un joue le rôle de votre mère ou votre père, qui vous harcèle de questions concernant les choses que vous n'avez pas faites. Vous jouez votre propre rôle. Utilisez des pronoms dans vos réponses.

Pairwork. One plays the role of your mum or dad, who hassles you about the things you haven't done. You play yourself. Use pronouns in your answers.

Exemple:

– As-tu sorti le chien?

– Non, maman/papa, je le sortirai bientôt!

– As-tu fini tes devoirs?

– Non, maman/papa, je les finirai après.

(mettre la table, nettoyer tes chaussures, donner à manger au hamster, laver la vaisselle, passer l'aspirateur, faire ton lit, ranger ta chambre, etc.)

7 *Tu m'aimes?*

Imaginez que vous participez à un feuilleton à la télé. Vous posez à vos camarades des questions qui contiennent *me* ou *nous* comme complément d'objet direct ou indirect. Eux, ils doivent y répondre, en utilisant *te* ou *vous*.

Imagine you are taking part in a TV 'soap'. You ask your classmates questions containing *me* or *nous* as direct or indirect object pronouns. They have to reply using *te* or *vous*.

Exemple:

– Lucie, tu m'aimes?

– Oh, oui, Michel, je t'adore! (Bah, non, Michel, je ne t'aime pas, je te déteste!)

– Vous nous accompagnez à la piscine?

– Oui, nous vous accompagnons.

(Vous pouvez utiliser: aimer, adorer, détester, écouter, regarder, accompagner au cinéma, acheter, donner, offrir un cadeau, etc.)

Vocabulaire

adverse	opposing
le but	goal
l'Inde	India
une orgue	organ
prendre rendez-vous	to make an appointment
rattraper	to catch up with
le terrain	(sports)ground

9

FOR ME? FROM YOU?

personal pronouns: the disjunctive pronoun

 **A vos marques!**

What is a disjunctive pronoun?

This rather horrible sounding name refers to the *moi*, *toi*, etc set of 'personal' pronouns. Here is the complete list:

moi	I, me	*nous*	we, us
toi	you (for *tu*)	*vous*	you (polite & plural)
lui	he, him, it (m.)	*eux*	they, them (m. or mixed)
elle	she, her, it (f.)	*elles*	they, them (f.)

They are used in the following instances.

a For emphasis

In French you can't emphasise the subject pronouns (*je*, *tu*, *il*, etc, see Chapter 8) with your voice, so you have to 'double up' with one of these pronouns:

***Moi**, je vais en ville*	**I**'m going to town
*Et **toi**, qu'est-ce que tu vas faire?*	And what are **you** going to do?
*Est-ce qu'ils restent ici, **eux**?*	Are **they** staying here?

b When there is no verb

A disjunctive pronoun is also used when there is no verb in the French sentence and after *c'est*:

*– Qui veut aller en ville? – **Nous!***	'Who wants to go to town?' **'We do!'**
*– Qui? **Moi?** – Oui, **toi!***	'Who? Me?' 'Yes, you!'
*Oui, c'est **lui!***	Yes, it's him!

60

c After prepositions

The disjunctive pronoun is used after prepositions, eg *avec* with, *sans* without, *contre* against, *pour* for, *devant* in front of, *derrière* behind, etc.

*Tu viens **avec moi**?*	Are you coming **with me**?
*Je n'y vais pas **sans toi**!*	I'm not going there **without you**!
*J'ai un petit cadeau **pour vous**.*	I've got a little present **for you**.
*Tu t'assieds là, **devant elle**.*	You sit there, **in front of her**.

Attention!

This pronoun is also used with *être à* to indicate possession (Chapter 7):

*Ce parapluie est **à nous**!*	That umbrella is **ours**!

d In comparisons

*Je suis plus paresseux que **toi**.*	I am lazier than **you**.

Prêts?

1 Le bureau des objets trouvés

Dans une école française, on vous demande à qui sont les différents objets trouvés pendant la semaine. Répondez selon le dessin.

In a French school you are asked who the various articles lost during the week belong to. Reply according to the drawings.

Exemple:
C'est à qui cette montre? C'est à **lui**.

1. Et ces chaussures de sport? C'est ....

2. Et ces cahiers de maths? C'est ....

3. Et ces tenues de sport? C'est ....

4. C'est à qui ce livre d'anglais? C'est ....

5. Et ce stylo-plume? C'est...............

2 Le cours de sport

Au cours de sport, le professeur répartit les élèves en groupes selon les activités qu'ils veulent faire. Complétez avec le pronom qui convient.

In the games lesson, the teacher divides the pupils into groups according to the activities they want to do. Complete with suitable pronouns.

– Qui veut faire du rugby?
– .... , je veux en faire!
– Qui veut faire du basket?
– Michèle, ... , elle veut en faire!

– Et du foot? Vous voulez en faire, les garçons?
– Oui, ... , nous voulons en faire!
– Il reste une place pour le tennis.
– Pierre, ... , il veut en faire.
– Et .... , Emilie, tu veux faire du ping-pong?
– D'accord.
– Un groupe doit faire du canoë-cayak sur la rivière. Qui veut en faire?
– Cédric et Vincent, ... , ils veulent en faire.

H *3 Le quartier de Bellevue*

Au quartier de Bellevue, tout le monde se connaît. Expliquez où habitent les différents personnages, en complétant les phrases.
In the Bellevue district, everyone knows each other. Explain where the various inhabitants live by completing the sentences.

Paul et Claudine, ils sont au premier étage, et Lucie, elle est au-dessus d'.............. . Clémentine est au troisième étage et Marielle est dans l'appartement à côté d'.............. . Yasmina et Amélie sont au troisième étage aussi et Fabien est en dessous d'.............. . Olivier est au deuxième étage à droite, et Lucie est à côté de .... Julien a l'appartement en face de .... Moi et ma soeur nous sommes au premier étage, les jumeaux sont en face de .... , et la famille Bertrand est à côté de ....

 **Partez!**

4 C'est à qui?

Un(e) élève prend un objet qui appartient à un(e) autre ou à lui/elle-même et demande 'c'est à qui?' Les autres répondent en utilisant les pronoms.
One pupil takes an article belonging to another or him/herself and asks *'c'est à qui?'*. The others reply using pronouns.

Exemple: – C'est à qui cette gomme?
– C'est à lui/elle/toi!

5 Les intérêts de votre famille

Vous écrivez à votre correspondant(e) au sujet des intérêts des membres de votre famille, en utilisant les pronoms disjonctifs pour souligner chaque personnage.
You are writing to your penfriend about the interests of the members of your family, using disjunctive pronouns to emphasise the persons you are talking about.

Exemples:

Moi, j'aime faire des promenades à vélo. Mon frère, lui, préfère écouter la musique pop toute la journée. Ma mère, elle, passe beaucoup de temps dans le jardin. Et toi, qu'est-ce que tu aimes faire?

6 Ma classe

Décrivez où les élèves de votre classe sont assis, en utilisant les pronoms disjonctifs.
Describe where the members of your class are sitting, using disjunctive pronouns.

Exemple:

Emma est assise à gauche de Sophie. Ben est assis derrière elle. A côté de lui il y a Lucy. Devant eux . . . etc.

7 Mon quartier

Décrivez votre quartier et ses habitants, un peu comme dans l'exercice 3. Utilisez *à côté de*, *à gauche de*, *à droite de*, *en face de*, *tout près de*, etc avec des pronoms disjonctifs.
Describe your district and its inhabitants, rather like exercise 3. Use *a côté de*, *à gauche de*, *à droite de*, *en face de*, *tout près de*, etc with disjunctive pronouns.

Exemple: Les Brown habitent à côté de nous, et les Black en face d'eux. M. Green habite tout près de chez eux. Il y a des magasins à gauche de chez lui, etc.

10

THERE AND SOME

y and *en*; and order of object pronouns

 **A vos marques!**

Y and *en* are two little words which are normally put together with the personal pronouns (Chapters 8 and 9), because they also come before the verb, and have their place in the word-order chart below.

1 Y
a *Y* means 'there'

> *Je suis allée aux Nouvelles Galeries et j'y ai acheté des chaussures.*
> I went to Nouvelles Galeries and bought some shoes **there**.
> *Nous avons passé le week-end au Futuroscope. Nous y avons fait beaucoup de choses.*
> We spent the weekend at the Futuroscope. We did lots of things **there**.
> *On peut y dépenser beaucoup d'argent!*
> You can spend a lot of money **there**!

b *Y* used as a pronoun
Y is also used as a pronoun to link *à* + a non-living noun:

> *Il faut penser à Noël! Il faut y penser!*
> We must think about Christmas! We must think about it! (*penser à* = to think about)

c *il y a*
Remember also the phrase *il y a* = 'there is, there are'. The question form is *y a-t-il?* is there/are there, *n'y a-t-il pas?* isn't there/aren't there?

> *Il y a eu un accident! Y a-t-il un médecin ici?*

There has been an accident! **Is there** a doctor here?
Il n'y a pas de pain. Hier, il n'y avait pas de fromage.
There's no bread. Yesterday **there wasn't any** cheese.

2 En

En basically means 'some' or 'any' and replaces *de* + a (usually) non-living noun:

*Tu veux **des frites**? – Oui, **j'en** veux bien, s'il te plaît.*
Would you like **some chips**? Yes, I'd like **some**, please.
*Est-ce que tu as **de l'argent**? Non, je n'**en** ai pas.*
Have you got **any money**? No, I haven't **any**.
*Avez-vous vu ce nouveau film? Non, mais j'**en** ai vu des extraits à la télé.*
Have you seen this new film? No, but I've seen some extracts (**from it**) on TV.

> **Attention!**
>
> *En* is needed in many phrases giving quantities, where no equivalent is needed in English:
>
> *Tu as beaucoup de soeurs? – J'**en** ai deux.*
> Do you have a lot of sisters? I have two.
> *Il y a combien de personnes ici? – Il y **en** a huit.*
> How many people are there here? There are eight.
> *Combien de pommes de terre voulez-vous? – J'**en** veux deux kilos.*
> How many potatoes do you want? I want 2 kilos.

3 Summary

The position of object pronouns – a summary of this and the two preceding chapters:

> **Conseil!**
>
> You can never use more than two object pronouns together, and they always come in the order of the columns in this table (exception: after positive commands, see Chapter 22).

me	*le*			
te	*le*	*lui*	*y*	*en*
se	*la*	*leur*		
nous	*les*			
vous				

*Cédric **me l'**a envoyé.*	Cedric sent **me it**.
*Cédric **m'en** a envoyé.*	Cedric sent **me some**.
*Nous **l'y** avons vu hier.*	We saw **him there** yesterday.
*Est-ce que vous **vous en** allez?*	Are you going away?
	(***s'en** aller* = to go away)

 ## Prêts?

1 La liste de courses

Avant d'aller faire les courses avec votre correspondant(e), vous vérifiez ce qu'il vous reste à la maison.

Before going shopping with your penfriend, you check what's left in the house.

Exemple:

Y a-t-il du lait? Oui, il y en a (une bouteille).

1. Y a-t-il des oeufs?
2. Y a-t-il des fruits?
3. Y a-t-il de la salade?
4. Y a-t-il du beurre?
5. Y a-t-il du fromage?
6. Y a-t-il du sucre?
7. Y a-t-il du thé?
8. Y a-t-il café?

2 Après le pique-nique

Les Dubois viennent de faire un pique-nique. Voici ce qui reste après le repas, quand M. Dubois veut tout remettre dans la voiture.

The Dubois have just had a picnic. This is what is left after the meal, when M. Dubois is wanting to put everything back into the car.

Exemple:
Combien de bouteilles de coca voyez-vous?
J'en vois trois.

1. Combien de paquets de chips y a-t-il?
2. Combien de morceaux de poulet reste-t-il?
3. Combien de tomates trouvez-vous?
4. Combien de paquets de biscuits voyez-vous?
5. Combien de verres trouvez-vous? Et d'assiettes?
6. Combien de fruits reste-t-il?
7. Combien de sortes de fromages comptez-vous?

3 Le voyageur de commerce

Le père de votre correspondant(e) est voyageur de commerce. Il connaît bien la France et vous le questionnez sur ses voyages. Utilisez *y* au lieu des mots en italiques dans ses réponses.
Your penfriend's father is a commercial traveller and knows France very well. You question him about his travels. Use *y* in place of the words in italics in his replies.

Exemple:
– Vous vous arrêtez souvent à Paris?
– Oui! Je m'arrête souvent *à Paris*.
– Oui! Je m'*y* arrête souvent.

1. Vous connaissez Orléans? – Oui, je dors quelquefois *à Orléans*.
2. Vous êtes allé souvent à Lyon? – Oui, je mange souvent *à Lyon*.

3. Vous connaissez Marseille? – Oui, je fais souvent des affaires *à Marseille*.
4. Et le Havre? – Oui, je prends le bateau pour l'Angleterre *au Havre*.
5. Vous avez visité Bordeaux? – Oui, je reste *à Bordeaux* dans un hôtel Ibis.
6. On me dit que vous avez eu un accident à Bayonne. C'est vrai? – Oui, c'est vrai, j'ai eu un accident *à Bayonne* il y a quelques mois.

4 Rêve de vacances

Emilie rêve des vacances. Complétez les phrases par *y* ou *en* selon le cas.
Emilie is dreaming of the holidays. Complete the sentences with *y* or *en* as necessary.

Nous partirons de très bonne heure et nous prendrons l'autoroute. Nous nous
.... arrêterons pour nous reposer, faire le plein d'essence à la station-service et
.... manger un sandwich ou des glaces. Nous .... mangerons une ou
deux puis nous repartirons jusqu'à Biarritz. En arrivant, nous chercherons la maison
que nous .... avons louée, nous .... laisserons nos valises et nous irons à
la plage en courant. Nous nous .... baignerons. Nous achèterons des frites et
des pizzas et nous .... mangerons beaucoup. Puis nous nous assiérons sur la
terrasse et nous parlerons de nos projets. Nous .... parlerons jusqu'à minuit.

H 5 Enquête au supermarché

On fait une enquête sur les services du supermarché Super-U. Voici les questions
qu'on fait un matin à Mme Lechat. Répondez 'Oui' pour elle, en remplaçant les
mots en italiques par deux pronoms.
They are conducting a survey about the services of the Super-U supermarket.
These are the questions Mme Lechat is asked one morning. Answer 'Yes' for her,
replacing the words in italics with two pronouns.

Exemple:
Est-ce que vous faites souvent *vos courses au Super-U*?
Oui, je *les y* fais souvent.

1. Est-ce que vous prenez *notre bus spécial au coin de votre rue* pour venir au Super-U?
2. Est-ce que vous avez vu *la promotion d'aujourd'hui dans le journal*?
3. Est-ce que vous faites *tous vos achats au Super-U*?
4. Est-ce que vous avez présenté *vos bons de promotion à la caissière*?
5. Est-ce que vous *vous* asseyez quelquefois *dans notre café*?
6. Est-ce que vous avez parlé *au gérant de nos produits*?
7. Est-ce que vous parlerez *à vos voisins de notre excellent service*?

Partez!

5 A l'école

Dites ce que vous faites à l'école, en utilisant *y*:
Say what you do at school, using *y*:

Exemple:
Nous y étudions, nous y faisons du sport, etc.

6 Des questions de famille

Votre camarade de classe vous demande combien vous avez de tantes, etc. Vous répondez avec *en*.
Your partner asks you how many aunts you have etc. You reply with *en*.

Exemples:
Combien de tantes as-tu? J'en ai trois/je n'en ai pas.
Combien de: cousins, oncles, frères, soeurs, grand-parents, petit(e)s ami(e)s, etc.

7 Il y en a ou il n'y en a pas?

Regardez autour de vous et posez des questions à vos camarades comme ci-dessous.
Ils doivent y répondre comme dans les exemples.
Look around you and ask your classmates questions like those below. They have to reply as in the examples.

– Est-ce qu'il y a des mots français au tableau?
– Oui, il y en a (trois, beaucoup, etc).
– Est-ce qu'il y a des éléphants roses dans la salle?
– Non, il n'y en a pas!

Vocabulaire

le bon	token, voucher
le gérant	manager

11

COUNTING 1 2 3

numbers

 **A vos marques!**

You can't get far without using numbers. You need them for shopping (prices, sizes, quantities, weights and measures), travelling (distances, fares, buying petrol, flight numbers), eating (recipes, café and restaurant prices), telling the time, giving dates, phone numbers, etc, so make sure you learn them very thoroughly indeed!

1 Counting: 'cardinal' numbers
a 1 2 3 . . .

0	zero	11	onze	20	vingt
1	un	12	douze	21	vingt **et** un
2	deux	13	treize	22	vingt-deux
3	trois	14	quatorze	23	vingt-trois
4	quatre	15	quinze	25	vingt-cinq
5	cinq	16	seize	29	vingt-neuf
6	six	17	dix-sept		
7	sept	18	dix-huit		
8	huit	19	dix-neuf		
9	neuf				
10	dix				

b 30–69

30	trente	31	trente **et** un	32	trente-deux	etc
40	quarante	41	quarante **et** un	42	quarante-deux	etc
50	cinquante	51	cinquante **et** un	52	cinquante-deux	etc
60	soixante	61	soixante **et** un	62	soixante-deux	etc

Vive la Grammaire!

c 70–79
There is no separate word for 70: you are saying 60 + 10, 60 + 11 right up to 60 + 19 for 79:

70	**soixante-dix**	**75**	**soixante-quinze**
71	**soixante et onze**	**76**	**soixante-seize**
72	**soixante-douze**	**77**	**soixante-dix-sept**
73	**soixante-treize**	**78**	**soixante-dix-huit**
74	**soixante-quatorze**	**79**	**soixante-dix-neuf**

d 80–99
You repeat this process for 80 to 99 (80 + 10 etc):

80	quatre-vingts	**90**	**quatre-vingt-dix**
81	quatre-vingt-un	**91**	**quatre-vingt-onze**
82	quatre-vingt-deux	**92**	**quatre-vingt-douze**
83	quatre-vingt-trois	**93**	**quatre-vingt-treize**
84	quatre-vingt-quatre	**94**	**quatre-vingt-quatorze**
85	quatre-vingt-cinq	**95**	**quatre-vingt-quinze**
86	quatre-vingt-six	**96**	**quatre-vingt-seize**
87	quatre-vingt-sept	**97**	**quatre-vingt-dix-sept**
88	quatre-vingt-huit	**98**	**quatre-vingt-dix-huit**
89	quatre-vingt-neuf	**99**	**quatre-vingt-dix-neuf**

e 100 onwards

100	cent	158	cent cinquante-huit
101	cent un	172	cent soixante-douze
102	cent deux, etc	199	cent quatre-vingt-dix-neuf
121	cent vingt et un		

200 to 999 work in the same way:

200	deux cents	270	deux cent soixante-dix
300	trois cents	349	trois cent quarante-neuf
400	quatre cents	494	quatre cent quatre-vingt-quatorze

500	cinq cents	535	cinq cent trente-cinq
600	six cents	618	six cent dix-huit
700	sept cents	720	sept cent vingt
800	huit cents	863	huit cent soixante-trois
900	neuf cents	998	neuf cent quatre-vingt-dix-huit

1 000	mille	1 237	mille deux cent trente-sept
2 000	deux mille	2 785	deux mille sept cent quatre-vingt-cinq
15 000	quinze mille	15 003	quinze mille trois
1 000 000	un million		

Attention!

1. Practise thoroughly the numbers 60 to 79 and 80 to 99, where you are counting in twenties: it can be a little disconcerting when someone is giving you their telephone number in the usual pairs of numbers, eg 38 36 54 72: in the last pair you will hear *soixante* . . . and you have to wait for the last number (*deux* or *douze*?) before you can write down 62 or 72!

2. There is no *et* in 81–91 *quatre-vingt-un/quatre-vingt-onze* or between the hundreds and the tens: 112 *cent douze*

3. You probably won't need to write out numbers in full very much, but in case you do, watch these points: 80 and the hundreds from 200, 300, etc are spelt with *s*, which is dropped when you add a number: *deux cents* but *deux cent un*.

   Mille (1000) does not take an *s*: *deux mille*

4. *un* on the end of a number – no matter how long – agrees with the noun:

   *Mille vingt et **un** garçons et mille vingt et **une** filles.*
   1,021 boys and 1,021 girls.

5. Thousands are separated according to usual European continental practice by a dot, not a comma:

   2.119: *deux mille cent dix-neuf*   two thousand one hundred and nineteen

6. conversely, decimals are separated by a comma:

2,119: *deux virgule cent dix-neuf*   two point one one nine

2 1st, 2nd, 3rd: 'Ordinal' numbers

These numbers tell you the order things come in.

1st	premier/première	11th	onzième
2nd	deuxième	12th	douzième
3rd	troisième	20th	vingtième
4th	quatrième	21st	vingt et unième
5th	cinquième	22nd	vingt-deuxième
6th	sixième	60th	soixantième
7th	septième	80th	quatre-vingtième
8th	huitième	99th	quatre-vingt-dix-neuvième
9th	neuvième	1000th	millième
10th	dixième		

This is quite easy: except for *premier/première* (1st), you simply add *-ième* to the basic (= cardinal) number, removing first any final *-e*:

quatre → quatrième   onze → onzième

Note also: *neuf → neuvième*

Attention!

1. These ordinal numbers are adjectives, although only *premier/première* has a separate feminine form:

   La première rue à gauche.   The first street on the left.

2. *Second(e)* is sometimes used instead of *deuxième*:

   *Deux aller-retour à Paris en **seconde**.*   Two 2nd class returns to Paris.

   *Ma soeur est en **seconde**.*   My sister is in Year 11.
   (French school year numbering is the reverse of the British system!)

3 Collective numbers

You may well meet phrases such as:

une dizaine de	about 10
une douzaine de	a dozen, about 12
une quinzaine de jours	a fortnight
une vingtaine de	about 20
une cinquantaine de	about 50

They are often used to give an approximate number, and are always linked to their noun with *de*:

*Il y a **une trentaine** d'enfants dans ma classe.*
There are about 30 children in my class.

4 Fractions

The French use decimals much more frequently than fractions, but you will meet the following quite often:

$\frac{1}{2}$	un demi
$\frac{1}{4}$	un quart
$\frac{3}{4}$	trois–quarts

Un demi-litre	Half a litre
Une heure et demie	An hour and a half
Trois quarts d'heure	Three quarters of an hour

La moitié is used for 'half' when referring to one of two halves:

J'ai déjà mangé la moitié de mes sandwichs!
I've already eaten half my sandwiches!

Prêts?

1 Un menu

Sur le menu du restaurant 'Le Louis XIII' à Péronne, lisez les prix suivants à haute voix:
From the menu of the Louis XIII restaurant in Péronne, read the following prices aloud:

Entrées	Potage du jour	21fr
	Oeufs mayonnaise	18fr
	Hors d'oeuvre variés	34fr
	Terrine du chef	27fr
Viandes	Entrecôte grillée	56fr
	Côte de porc à la provençale	41fr
	Poulet basquaise	69fr
Poissons	Saumon en sauce avec des champignons	72fr
Fromages	Plateau de Fromages	35fr
Desserts	Crème caramel	23fr
	Mousse au chocolat	42fr
Boissons	Vin de Bordeaux	95fr
	Vin d'Alsace	78fr
	Eau minérale	15fr
	Coca	17fr
	Café	12fr

2 Résultats des matchs de hand

Les deux équipes de hand de Moreuil et de Montdidier s'affrontent en matchs amicaux tous les samedis. Lisez les dates et les résultats du mois d'avril.

The two handball teams of Moreuil and Montdidier meet in friendly matches every Saturday. Read the dates and scores for the month of April.

Samedi 5 avril	Moreuil 14	Montdidier 21
Samedi 12 avril	Moreuil 23	Montdidier 8
Samedi 19 avril	Moreuil 19	Montdidier 18
Samedi 26 avril	Moreuil 13	Montdidier 13

Quel est le total de buts de Moreuil? Et de Montdidier?
Quelle est la meilleure équipe?
Combien de buts de plus a-t-elle marqué?

3 Problèmes

Trouvez la solution des problèmes suivants.
Find the solution to the following problems.

1. Votre voiture consomme cinq litres aux cents kilomètres. Combien de kilomètres faites-vous avec un plein de quarante litres?
2. Un train roule à cent vingt kilomètres à l'heure. Combien de temps mettra-t-il pour faire quatre cent vingt kilomètres? S'il part à onze heures le matin, à quelle heure arrivera-t-il?
3. A la librairie vous achetez deux livres de poche à trente-deux francs et un stylo à quatorze francs. Combien dépensez-vous?
4. Vous jouez vingt-quatre francs au loto pendant quatre semaines. La quatrième semaine, vous gagnez quatre-vingt dix-huit francs. Avez-vous gagné ou perdu de l'argent? Combien?
5. Dans un examen vous avez cent quarante-six réponses justes sur deux cents. Quel pourcentage de réponses justes avez-vous?

4 Quelques questions d'ordre

Remettez le bon numéro ordinal dans chaque espace blanc.
Put the right ordinal number in each gap.

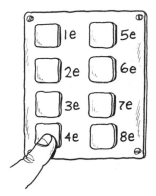

1. Thérèse habite au .... étage.

2. David a gagné le .... prix.

3. Prenez la .... rue à gauche.

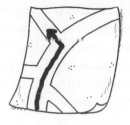

4. Napoléon I est mort au .... siècle.

5. Cette année j'aurai mon .... anniversaire.

6. Voici la .... question de cette exercice!

'No.6'

Partez!

5 Au restaurant
Vous êtes au restaurant Louis XIII à Péronne comme dans l'exercice 1 avec votre famille. Dites ce que chaque membre de votre famille a pris, avec le prix, et faites l'addition entière. Combien avez-vous payé?
You're at the Restaurant Louis XIII as in exercise 1. Say what each member of your family had and add up the whole bill. How much did you pay?

6 Quizz
Savez-vous répondre aux questions suivantes?
Can you answer the following questions?

1. Combien de kilomètres y a-t-il du centre de Londres à chez vous?
2. Combien d'habitants y a-t-il dans votre ville/village?

3. Combien de kilomètres y a-t-il dans un mile?
4. En quelle année s'est terminée la Seconde Guerre Mondiale?
5. Combien y a-t-il de joueurs dans une équipe de foot? Et de rugby?
6. En quelle année êtes-vous né(e)?
7. Quel est votre numéro de téléphone? (Dites les numéros deux par deux).
8. Quel est le sommet le plus élevé de Grande-Bretagne? Quelle est sa hauteur en mètres? Et en pieds?
9. Combien de secondes y a-t-il dans une heure? Et d'heures dans un jour? Et de jours dans un an?
10. Combien y a-t-il d'habitants (à peu près) en Grande-Bretagne? Et en France?

7 *Apprenons à compter*
Continuez:

5 – 10 – 15 . . . jusqu'à 100
4 – 8 – 12 . . . jusqu'à 48
3 – 6 – 9 . . . jusqu'à 42
3 – 6 – 7 – 10 – 11 . . . jusqu'à 31
100 – 95 – 90 . . . jusqu'à 0
50 – 46 – 42 . . . jusqu'à -2
40 – 37 – 34 . . . jusqu'à 1

8 *Jeu de dés*
Faites deux ou trois équipes. Chaque équipe a deux dés. Chaque joueur à son tour jette les deux dés, en annonçant tout haut son score et le total courant de l'équipe. La première équipe qui arrive à 100 a gagné.
Make up two or three teams. Each team has two dice. Each player in turn throws both dice, and announces aloud his/her score, and the running total of the team. The first team to reach 100 wins.

Puis, on peut aller de 100 à 0, ou de 50 à 0 avec un seul dé, etc.
Then you can go from 100 to 0, or 50 to 0 with only one dice, etc.

Vocabulaire

le but	goal
consommer	to consume
juste	right, correct
le loto	lottery

12

HOW BIG, HOW HEAVY, HOW FAR?

size, weight and distance

 **A vos marques!**

1 Measures

Metric measures are, of course, used in France and other French-speaking countries. The most frequently used are:

a Size and distance

un millimètre	a millimetre
un centimètre	a centimetre
un mètre	a metre
un kilomètre	a kilometre

b Liquid capacity

un litre	a litre
un demi-litre	half a litre
un centilitre	a centilitre

c Weight

un milligramme	a milligram
un gramme	a gram
deux cents grammes	200 grams
cinq cents grammes	500 grams
un kilo	a kilo(gram)

2 Size
a Dimensions

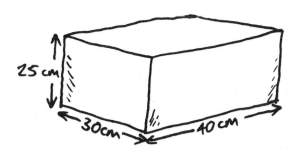

Combien mesure cette boîte?	What does this box measure?
Combien cette boîte fait-elle de long?	How long is this box?
Combien cette boîte fait-elle de large?	How wide is this box?
Combien cette boîte fait-elle de haut?	How tall is this box?

or

Quelle est la longueur/largeur/hauteur de cette boîte?
What is the length/width/height of this box?

Elle fait/a quarante centimètres de long.	It's 40 cm long.
Elle fait/a trente centimètres de large.	It's 30 cm wide.
Elle fait/a quinze centimètres de haut.	It's 15 cm tall.
*Elle fait/a 40 cm de long **par** 30 cm de large.*	It's 40 cm long **by** 30 cm

b Personal height

Combien mesures-tu/mesurez-vous?	How tall are you?
Je mesure/je fais un mètre soixante-sept.	I'm 1 metre 67.

3 Weight

Combien pèses-tu/pesez-vous?	What do you weigh?
Je pèse/je fais 57 kilos.	I weigh 57 kilos.
Combien pèse ce paquet? Il pèse/il fait 600 grammes.	How much does this package weigh? It weighs 600 grams.

4 Distance
When you want to say how far away something is, you must use *à*:

Bordeaux est à 565 kilomètres de Paris.	Bordeaux is 565 kilometres from Paris.
Le Syndicat d'Initiative est à deux minutes d'ici.	The Tourist Office is two minutes from here.

Prêts?

1 Ça mesure combien?
Donnez les dimensions des objets ci-dessous.
Give the dimensions of the articles below.

Exemple:
Combien mesure votre livre de français?
Il fait vingt-trois centimètres de haut par quinze de large.

Combien mesure: votre trousse à crayons? votre pupitre? le tableau? la salle de classe? la porte de la salle? le bureau du professeur? votre professeur? combien mesurez-vous?

2 Faisons des crêpes!
Lisez ce qu'il faut pour faire vingt crêpes, puis répondez aux questions.
Read what you need to make 20 pancakes, then answer the questions.

> Pour faire vingt crêpes, il faut trois oeufs, cent grammes de sucre, cent grammes de beurre, un demi-litre de lait, deux cents grammes de farine et une pincée de sel.

Que faudra-t-il pour faire 40 crêpes?
Et 80 crêpes?
Avec un kilo de farine, combien pourra-t-on faire de crêpes?

3 On part en voyage
Lisez à voix haute à quelle distance les villes françaises se trouvent les unes des autres. Puis estimez la durée du voyage en voiture ou par le train.
Read aloud how far apart these French towns are from each other. Then estimate the length of the journey by car or train.

Exemple:
Amiens est à cent trente-sept kilomètres de Paris. Amiens est à une heure par le train ou à une heure et demie en voiture.

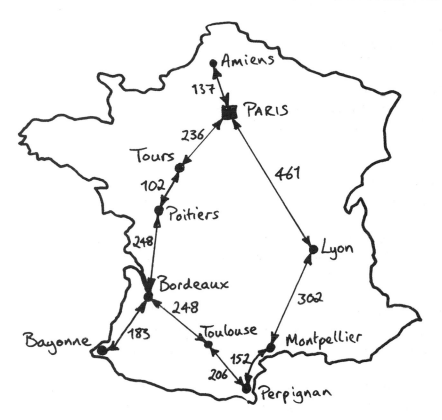

 **Partez!**

4 *C'est quoi?*

Un(e) élève donne les dimensions d'un objet et les autres doivent deviner ce que c'est. Celui qui donne la réponse juste continue. Attention au genre de l'objet: *il* ou *elle*?

One pupil gives the dimensions of an object and the others have to guess what it is. The one who gives the right answer continues. Mind the gender of the object: *il* or *elle*?

Exemples:

Elle mesure/fait deux mètres de haut par un mètre de large.

C'est la fenêtre.

Il fait vingt centimètres de long par quinze de large et il pèse un kilo.

C'est le dictionnaire de français!

5 Essayez encore des recettes!

Apportez un livre de recettes en classe et lisez les quantités nécessaires pour votre recette favorite. Puis doublez-les pour en faire deux fois la quantité! Si cela est nécessaire, transformez les mesures anglaises en mesures métriques!

Bring a recipe book into class and read out the quantities necessary for your favourite recipe. Double them to make twice the amount! If necessary, convert English measurements to metric ones!

6 C'est à quelle distance d'ici?

Vous écrivez à une famille suisse qui va visiter votre région, en leur disant les distances en kilomètres entre les villes et les lieux d'intérêt de la région.

You write to a Swiss family who are going to visit your area, telling them the distances in kilometres between the towns and places of interest of the area.

Exemple: (pour la région de Manchester):

Liverpool est à 50 kilomètres d'ici. Le parc d'Alton Towers est à 60 kilomètres, à une heure en voiture. Le terrain de football de Manchester United est à deux kilomètres de chez nous, à vingt minutes en bus.

7 Présentations

Imaginez que vous écrivez à un(e) correspondant(e) française(e). Vous parlez de votre taille, votre poids, ainsi que ceux des membres de votre famille et même ceux de vos animaux!

Imagine that you are writing to a French penfriend. You talk about your height, your weight, as well as that of the members of your family and even of your pets!

Vocabulaire

la trousse de crayons	pencil case

13

9 O'CLOCK ON THE 1ST APRIL!
times, dates and seasons

 **A vos marques!**

1 Telling the time

Quelle heure est-il?	What's the time?
Avez-vous l'heure, s'il vous plaît?	Have you got the time, please?
Il est une heure.	It's one o'clock.

In French, as in English you can say the time the 'conversational' way (*deux heures moins dix* – ten to two), or the 'timetable' or 'digital' way (*une heure cinquante* – one fifty).

Il est deux heures   *Il est cinq heures*   *Il est midi*   *Il est minuit*

Il est une heure cinq   *Il est deux heures et quart / il est deux heures quinze*   *Il est quatre heures vingt*   *Il est six heures et demie / il est six heures trente*

Il est huit heures moins vingt-cinq / il est sept heures trente-cinq   *Il est dix heures moins le quart / il est neuf heures quarante-cinq*   *Il est minuit moins dix / il est onze heures cinquante*

Vive la Grammaire!

👀 Attention!

1. On the continent, the 24-hour clock is used much more than in Britain. In addition to travel timetables, you will find it used to refer to opening times, postal collections, etc and even in conversation when you need to avoid confusion:

Heures d'ouverture: 9h à 12h, 14h à 18h	Opening time 9 a.m. to 12 noon, 2 p.m. to 6 p.m.
Je t'attendrai à 19 heures.	I'll wait for you at 7 p.m.

   If you don't use the 24-hour clock, you can say *du matin*, *de l'après-midi*, *du soir*: *Je t'attendrai à sept heures du soir.*

2. When writing times in figures, don't forget to put *h* after the hour:
   6h20   6.20

3. 'At what time?' is: *à quelle heure?*. You need *à* in the reply:

   A quelle heure arrive le vol numéro BA345 de Londres?
   At what time does flight BA345 from London arrive?
   Il arrive à 16h33 (à seize heures trente-trois).
   It arrives at 16.33 (at 4.33 p.m.).

4. 'About' a certain time is: *vers*:

Il arrive vers quatre heures et demie.	It arrives about half past four.

5. Note the spelling of *demi(e)*: *demie* after times containing *heure(s)* (une *heure et demie*) but *midi/minuit et demi*.

2 Days, months and dates

a   Les jours de la semaine   Days of the week

lundi	Monday	*vendredi*	Friday
mardi	Tuesday	*samedi*	Saturday
mercredi	Wednesday	*dimanche*	Sunday
jeudi	Thursday		

Attention!

1. 'On' Saturday is simply *samedi*.
   'On Saturdays', meaning 'every Saturday' is *le samedi*.

Nous allons au cinéma samedi.	We're going to the cinema on Saturday.
Ma correspondante anglaise arrive jeudi.	My English penfriend arrives **on** Thursday.
*Beaucoup des magasins sont fermés **le** lundi.*	A lot of shops are closed **on** Monday**s**.

2. Remember also:

vendredi dernier	last Friday
mardi prochain	next Tuesday
hier	yesterday
avant-hier	the day before yesterday
demain	tomorrow
après-demain	the day after tomorrow
le lendemain	(on) the next day
la semaine dernière/prochaine	last/next week

b   Les mois de l'année   **Months of the year**

janvier	January
février	February
mars	March
avril	April
mai	May
juin	June
juillet	July
août	August
septembre	September
octobre	October
novembre	November
décembre	December

Vive la Grammaire!

To give a date, except for *le premier* (1st) you simply use the cardinal number. Again, there is no word for 'on':

le premier avril	(on) 1st April
le deux juin	(on) 2nd June
le dix mars	(on) 10th March
le trente et un octobre	(on) 31st October
le jeudi seize mai	(on) Thursday, 16th May

*Le groupe de Picquigny arrivera **le** vendredi 17 mai à 18h.*
The group from Picquigny will arrive **on** Friday 17th May at 6 p.m.

'In' a month is *en* or *au mois de*:

en/au mois de janvier	in January

c Years

You say the whole number for the year: you can't shorten it to 'nineteen-ninety-eight' as in English, you must say *dix-neuf cent* or *mille neuf cent*

1995	*mille neuf cent quatre-vingt-quinze*
1998	*dix-neuf cent quatre-vingt-dix-huit*
2000	*deux mille*
2005	*deux mille cinq*

'In' a year is *en*:

Je suis né(e) en 1984.	I was born in 1984.

As in English, you can omit the hundreds if you know which century you are talking about:

Je suis né(e) en '84.	I was born in '84.

'In' a century is *au*:

En 2001 nous sommes au vingt-et-unième siècle.
In 2001 we are in the 21st century.

 **Prêts?**

1 *Décalage horaire*

| Los Angeles | New York | Londres | Paris |

Dites-le de deux façons différentes.
Say it in two different ways.

Exemple:

14:30: *quatorze heures trente* ou *deux heures et demie de l'après-midi*.

1. Quelle heure est-il à Paris quand il est 13h30 à Londres?
2. Quelle heure est-il à New York quand il est 22h15 à Paris?
3. Quelle heure est-il à Los Angeles quand il est 14h45 à Londres?
4. Quelle heure est-il à Paris quand il est 8h28 du matin à New York?
5. Quelle heure est-il à Londres quand il est 12h50 à Paris?
6. Quelle heure est-il à Los Angeles quand il est 9h35 du soir à New York?

2 *Quel jour sommes-nous (1)?*

Dites le jour et la date.
Say the day and date.

Exemple:

12-10 (lundi) C'est le lundi douze octobre.

a. 07-01 (dimanche)
b. 11-02 (samedi)
c. 09-03 (jeudi)
d. 28-04 (mardi)
e. 31-05 (vendredi)
f. 23-06 (mercredi)

g. 14-07 (samedi)
h. 01-08 (jeudi)
i. 30-09 (lundi)
j. 15-10 (mardi)
k. 03-11 (lundi)
l. 24-12 (dimanche)

3 *Qu'est-ce qui s'est passé cette année-là?*

Lisez les années suivantes et dites ce qui s'est passé cette année-là. Vous trouverez quelques mots pour vous aider.
Read the following years and say what happened that year. You'll find some words to help you.

Exemple:

1939: En mille neuf cent trente-neuf, la Seconde Guerre Mondiale a commencé.

1914
1945 (se terminer)
1918
1977 (Elvis Presley)
1066 (Guillaume le Conquérant – envahir)
1215 (le roi Jean – signer)
54 avant Jésus-Christ (Jules César)
2000 (le vingt-et-unième siècle)

 **Partez!**

4 *Quel jour ça tombe?*

Regardez votre calendrier pour cette année et cherchez quel jour tombe:
Look at your calendar for this year and find out what day the following fall on:

Noël, le jour de l'An, le jour de Guy Fawkes, le jour de Pâques, la fête des mères, le début des grandes vacances, votre anniversaire, etc.

Exemple:

Mon anniversaire: c'est un lundi; c'est le lundi sept janvier.

5 *C'est en quel mois?*

En quel mois de l'année:
In which month of the year:

a. commence(nt) le printemps, l'été, l'automne, l'hiver, les vacances de Noël, les vacances de Pâques, les grandes vacances?
b. y a-t-il de la neige? des tulipes dans les jardins? des embouteillages sur les routes?
c. fait-il le plus chaud? mange-t-on des crêpes? des glaces? partez-vous en vacances?

Exemple: Il y a de la neige en février.

Inventez encore d'autres questions du même genre!
Invent some more questions of the same sort!

6 Quel jour sommes-nous (2)?

Travaillez par deux. Demandez-vous l'un à l'autre quel jour nous sommes.
Work in pairs. Ask each other what date it is, was, and will be.

Exemples:

Quel jour serons-nous demain? Nous serons le 31 janvier 2001.
Et dans dix jours? Nous serons le 10 février.
Et il y a dix jours? Nous étions le 21 janvier.

Vocabulaire

le décalage horaire	time difference
envahir	to invade
le roi	king

14

TO, FROM, BY, WITH, WITHOUT prepositions

 **A vos marques!**

What is a preposition?

A preposition describes a relationship with a noun or pronoun. This may be of **place** (in front of, near, above); in **time** (before, after, until); or some **other relationship** (because of, in spite of). The use of prepositions with verbs is explained in Chapter 33. Here are explanations of some of the common prepositions which have several uses, and a list of other prepositions which you will find handy.

1 Common prepositions

a à

> **Conseil!**
>
> Remember that *à* + *le* = *au*, and *à* + *les* = *aux*.

■ *à* basically means 'to' or 'at':

Jérémie va à Amiens.	Jérémie is going **to** Amiens.
Il y arrivera à huit heures.	He will arrive there **at** eight o'clock.
Alors, nous nous retrouverons au marché?	So we'll meet **at the** market?
Donne ces glaces aux enfants.	Give these ice creams **to the** children.

■ With a town or village, it also means 'in':

Jérémie habite à Picquigny.	Jérémie lives **in** Picquigny.
Mais il travaille à Amiens.	But he works **in** Amiens.

■ You use *au/aux* for 'to' or 'in' countries which are **masculine**. There aren't many amongst the commonest countries, but you should know *au Japon* 'to/in' Japan, *au Portugal* 'to/in' Portugal, and *aux Etats-Unis* 'to/in' the United States. (See *en* for 'in' other countries.)

■ You **must** use *à* in French when expressing the distance at which something is situated or the price at which it is being sold:

> *Abbeville est située à vingt-cinq kilomètres de la côte.*
> Abbeville is (**at**) 25 km from the coast.
> *Les pommes de terre sont à 6 francs le kilo.*
> The potatoes are (**at**) 6 francs a kilo.

■ *à* is used with a noun or verb to indicate a use or purpose of an object:

> *Une tasse à café.*   A coffee-cup.
> *Une machine à coudre.*   A sewing machine.

■ You use *à* with certain modes of travel:

> *à pied*   on foot
> *à vélo/bicyclette*   by bike
> *à cheval*   on horseback

■ You also use *à* to link some verbs to a following infinitive (see Chapter 33) and with some verbs involving taking away (see Chapter 34).

b *de*
De basically means 'of' or 'from'.

Conseil!

Remember that *de* + *le* = *du* and *de* + *les* = *des*.

■ There is no equivalent of **'s** in French, and you always use *de* with a noun to indicate possession (see also Chapter 7):

> *J'ai trouvé le parapluie de Madame Piollet.*   I've found **Mme Piollet's** umbrella.
> *Ce sont les sandwichs de Sophie.*   These are **Sophie's** sandwiches.

■ You also use *de* for 'of':

> *Le propriétaire de la maison.*   The owner **of** the house.
> *Les doigts de ma main gauche.*   The fingers **of** my left hand.

*Une tasse **de** café.* A cup of coffee (compare *une tasse **à** café* 'a coffee cup' above).

■ Generally you can't use one noun to describe or qualify another in French:

*Un match **de** rugby.*	A rugby match.
*Un concours **de** pêche.*	A fishing competition.
*Le camping **de** Varengeville*	Varengeville campsite

(use *à* for purpose: see Section 1a above).

■ *De* also means 'from' in most senses:

*Voici un fax **de** notre patron.*	Here's a fax **from** our boss.
*Delphine vient **de** Toulouse.*	Delphine comes **from** Toulouse.
*Oui, elle est **du** sud.*	Yes, she's **from the** south.

■ It is used between *quelqu'un/quelque chose* 'someone/something' and *personne/rien* 'no-one/nothing' and an adjective:

*quelqu'un **d'**important*	someone important
*personne **d'**important*	no-one important
*quelque chose **de** drôle*	something funny
*rien **de** drôle*	nothing funny

■ It is used to join some verbs to a following infinitive, see Chapter 33.

■ It is used to form some 'compound' prepositions, ie of more than one word: *au milieu de* 'in the middle of', *autour de* 'around' (see the list in Section 2).

c *Dans* and *en*

Both these words mean 'in', but are used in different circumstances.

■ *Dans* usually means 'physically within' something:

***dans** une boîte*	in a box
***dans** la mer*	in the sea
***dans** le nord*	in the north (and all compass points)
***dans** la Somme/le Hampshire*	in + all French *départements* and British counties.
***dans** cinq minutes*	in five minutes' time, within 5 minutes.

■ *En* tends to be used with less physical 'containers', and in certain particular cases:

***en** 2003*	in 2003
***en** janvier*	in January (and all months)
***en** été/automne/hiver*	in summer/autumn/winter
(but ***au** printemps* in spring)	

en Angleterre	in England (and all **feminine** countries – the majority)
en anglais	in English (and all languages)
en avion, *en* autobus	by plane, by bus
en vert	in green (and other colours)

en + a time gives the time taken to perform an action:

Sylvie a terminé l'examen **en** *cinq minutes.*	Sylvie finished the exam **in** 5 minutes.

en + **present participle** (*en arrivant* etc): *en* is the only preposition which is not followed by an infinitive. This is fully explained in Chapter 35.

2 Other useful prepositions
Note that some prepositions can be used in more than one category.

a Of place

à côté de	beside, next to	**à côté de** *notre maison*
à droite de	on/to the right of	**à droite de** *l'église*
à gauche de	on/to the left of	**à gauche du** *cinéma*
au bord de	on the edge of	**au bord de** *la rivière*
au bout de	at the end of	**au bout de** *la rue*
au centre de	in the centre of	**au centre du** *parc*
au-dessous de[1]	underneath, below	**au-dessous des** *arbres*
au-dessus de[1]	above, over the top of	**au-dessus des** *toits*
au milieu de	in the middle of	**au milieu du** *lac*
autour de	around	**autour de** *la table*
chez	at the house of/at . . .'s	**chez** *Christine,* **chez** *le boulanger*
contre	against	**contre** *la fenêtre*
derrière	behind	**derrière** *la porte*
devant	in front of	**devant** *la classe*
de l'autre côté de	on the other side of	**de l'autre côté de** *la rue*
en face de	opposite	**en face de** *l'Hôtel de Ville*
en haut de	on the top of	**en haut de** *la Tour Eiffel*
entre	between	**entre** *la gare et la rivière*
jusqu'à	as far as	**jusqu'au** *pont*
loin de	a long way from, far from	**loin d'**ici
par	through	*allez-y* **par** *Beauvais*
parmi	among	**parmi** *les joueurs*

près de	near (to)	***près de*** *la Place*
sous	under	***sous*** *le pont*
sur	on	***sur*** *le pont*
vers	towards	***vers*** *le musée*

b Of time

à la fin de	at the end of	***à la fin du*** *mois*
après	after	***après*** *le déjeuner*
au bout de	at the end of	***au bout de*** *dix minutes*
avant	before	***avant*** *la guerre,* ***avant*** *midi*
depuis	since	***depuis*** *1997* [2]
entre	between	***entre*** *dix heures et midi*
jusqu'à	until	***jusqu'à*** *onze heures*
pendant	during, for	***pendant*** *le match,* ***pendant*** *un mois* [2]
vers	towards, about (a time of day)	***vers*** *deux heures*

c Other relationships

à cause de	because of [3]	***à cause de*** *la neige*
au lieu de	instead of	***au lieu de*** *mon frère*
au sujet de	about, on the subject of	***au sujet des*** *vacances*
avec	with	***avec*** *toi*
malgré	in spite of	***malgré*** *la pluie*
par	by	*fabriquée* ***par*** *Renault*
pour	for	*un cadeau* ***pour*** *vous*
sans	without	***sans*** *elle*
sauf	except	***sauf*** *le dimanche*
selon	according to	***selon*** *mon prof*
sur	on, about (a subject)	*un livre* ***sur*** *Paris*

Attention!

[1] Take care with the pronunciation of *dessus* and *dessous*: they are not pronounced the same, and mean the opposite of each other!

[2] Time spent or to be spent:
a. If the action is still in progress use **present** tense and *depuis*:

Nous ***apprenons*** *le français* ***depuis*** *quatre ans.*
We've been learning French **for** four years (and are still learning it).

b. If the action is finished or has stopped, use the **perfect** tense and *pendant*:

> *Mon frère **a étudié** le français **pendant** cinq ans.*
> My brother **studied** French **for** five years (but he has now stopped).

c. If the action is projected for the future use the **future** or
aller + **infinitive** with *pendant*:

> *Je vais étudier (j'étudierai) le français à l'université **pendant** quatre ans.*
> I'm going to (I'll) study French at university for four years.

[3] Don't confuse *à cause de* (because **of**) with *parce que* (because), which is
followed by a verb!

Prêts?

1 Thomas le chat

Thomas est un chat très agité. Il ne reste au même endroit que quelques minutes.
Où est-il dans chaque dessin?
Thomas is a very restless cat. He only stays in one place for a few minutes. Where is
he in each drawing?

1. Il est .... la table.

2. Il est .... la table.

3. Il est .... sa corbeille.

4. Il est .... le fauteuil
    et le canapé.

5. Il est .... les rideaux.

6. Il est .... le feu.

7. Il est .... ses amis.

8. Il est .... la rue.

2 *La journée de Georges le chat, frère de Thomas*

Voici une journée typique de Georges. Choisissez la bonne préposition à chaque fois.

Here is a typical day in the life of Georges. Choose the right preposition each time.

1. Georges réveille sa maîtresse *avant après depuis* sept heures chaque matin.

2. *Entre vers depuis* sept heures et demie, elle lui donne son petit déjeuner de Friskies.

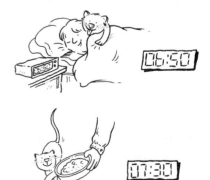

3. *Avant après pendant* le petit déjeuner,
   il se lave.

4. Un peu *avant vers après* huit heures,
   il fait une promenade dans le jardin.

5. L'été, il dort au soleil toute la journée,
   à de après 9 heures du matin *de entre*
   jusqu'à 6 heures du soir.

6. Sa maîtresse rentre du travail *vers*
   jusqu'à entre six heures et quart.

7. Le soir, Georges se couche *sous dans*
   sur les genoux de sa maîtresse.

8. Il reste là *de entre jusqu'à* dix
   heures, quand il sort.

9. Chaque nuit, *à de entre* minuit et six heures du matin, il cherche son frère Thomas, et se bat avec lui.

10. Et sa maîtresse rêve que Georges dort *pendant entre vers* toute la nuit!

H 3 *Chère maman*

Hélène est une jeune Française en stage à Bristol en Angleterre. Elle vit dans une famille anglaise, et après une semaine, elle écrit à sa mère. Malheureusement il y a des erreurs dans les prépositions qu'il faut que vous corrigiez.

Hélène is a French girl on a course in Bristol. She is staying with an English family, and after a week, writes to her mother. Unfortunately there are some mistakes in the prepositions which you need to correct.

Le salon est très accueillant. Il y a une grande cheminée. Il y a un miroir *au-dessous* et un canapé *derrière* la cheminée. La porte *à droite du* canapé mène à la cuisine et la fenêtre *à gauche* donne sur le jardin. Il y a une jolie table basse *vers* le canapé et la cheminée et un radiateur *sur* la fenêtre. Comme tu le vois *derrière* la photo que je t'envoie, il y a deux fauteuils et une table ronde d'où je t'écris *au bord de* la fenêtre. Tu remarqueras une étagère *dans* de très belles poteries anciennes *au dessous de* la porte. Le soir, je regarde la télé, qui est *à droite de* la cheminée. Je travaille tous les jours, *selon* le dimanche, et je suis très fatiguée le soir.

 **Partez!**

4 Où est-il?

Un(e) élève prend un objet simple (un crayon, une gomme, etc) et le cache quelque part dans la salle de classe. Les autres doivent deviner où il est, en employant une préposition dans leur question.
One pupil takes a simple object (pencil, rubber, etc) and hides it in the classroom. The others have to guess where it is, using a preposition in their questions.

Exemples:
Est-ce qu'il/elle est *derrière* le tableau?
Est-ce qu'il/elle est *dans* ta poche?

5 C'est la routine!

Décrivez la journée de votre chat, chien ou autre animal, (ou si vous n'en avez pas, de votre frère ou soeur). Utilisez les prépositions, comme dans l'exercice 2.
Describe the typical day of your cat, dog or other pet (or if you don't have one, your brother or sister). Use prepositions, as in exercise 2.

6 La salle de séjour, chez moi

Vous décrivez votre salle de séjour à votre camarade de classe, ou à la classe entière, qui doivent la dessiner selon votre description. Utilisez beaucoup de prépositions des listes de la section 2a pour décrire la position des meubles.
You describe your lounge to your partner or the whole class, who have to draw it according to your description. Use a lot of prepositions from the lists in section 2a to describe the position of the furniture.

15

THE PERSON WHO, THE THING WHICH
relative pronouns

 **A vos marques!**

What is a relative pronoun?

A relative pronoun is used to join on a clause which gives you more information about a noun or pronoun:

The teacher **who** gave us this homework.
The shop assistant to **whom** I was talking (**who** I was talking to).
The one **which** leaves at six o'clock.
The purse **that** you found on the bus.
The mother **whose** baby was ill.

> **Attention!**
>
> Don't confuse **relative** pronouns with the interrogative (= question) pronouns explained in the next chapter. They are often the same words, but used in a different way. **Relative pronouns don't ask questions!**

1 *Qui* 'who', 'which', 'that'

■ *Qui* is used when the 'relative' is the subject of the verb, ie doing the action:

> *La femme **qui parle** à ces filles-là est notre professeur de français.*
> The woman **who is speaking** to those girls over there is our French teacher.
> *Il faut prendre un train **qui s'arrête** à Lille.*
> We must catch a train **that stops** at Lille.
> *Ceux **qui font** tellement de bruit seront punis!*
> Those **who are making** so much noise will be punished!

■ *Qui* is also used referring to persons and meaning 'who(m)' after a preposition:

> *Voilà le professeur **avec qui** nous sommes allés en France.*
> That's the teacher we went to France **with/with whom** we went to France.

> ### Attention!
>
> You **don't** use *qui* in this way **after *de*** (see 3 below) or referring to **things** (see 4 below).

2 *Que* 'who(m)', 'which', 'that'

Que is used when the relative is the direct object of the clause, ie having the action done to it:

> *La femme **que** vous voyez là-bas est notre professeur de français.*
> The woman **whom/that** you see over there is our French teacher.

You = the subject of 'see'; so 'whom' or 'that' referring to the woman is the object.

> *Le train **que** nous avons pris s'est arrêté à Lille.*
> The train **that** we caught stopped at Lille.

(We caught; so '**that**' is the object.)

> ### Conseil!
>
> If there is a noun or pronoun subject of the verb you can't have *qui* because the verb already has a subject (eg *nous* and *vous* in the above examples), so the relative must be *que*.

3 *Dont* 'whose', 'of which', 'of whom'

■ 'whose'

> *Les gens **dont** je garde le fils le week-end sont très sympa.*
> The people **whose** son I look after at the weekend are very nice.

■ *Dont* is used to link *de* to a relative after verbs like *avoir besoin de* 'to need', *parler de*: 'to talk about':

> *C'est précisément le livre **dont** j'ai besoin!*
> That's exactly the book (**that**) I need!

*On va voir le film **dont** je parlais hier soir?*
Shall we go and see the film (**that**) I was talking **about** last night?

 **Attention!**

> *Dont* must always come straight after the owner, or the noun it refers back to (its 'antecedent').

4 *Lequel, lesquels, laquelle, lesquelles* 'which', 'that', 'who'

As you see, *lequel* has four forms, and agrees with the noun it refers back to (its 'antecedent'). It is used to refer to a thing or things, and sometimes people, after a preposition:

> *Il faut laver les couteaux **avec lesquels** vous coupez la viande.*
> You must wash the knives **with which** you cut the meat/you cut the meat **with**. (Agreement is masculine plural with *les couteaux*.)

When you use *à* or *de* + *lequel*, the four forms become:

auquel	*auxquels*	*à laquelle*	*auxquelles*
duquel	*desquels*	*de laquelle*	*desquelles*

> *Le bâtiment **à côté duquel** nous sommes garés est le musée.*
> The building next to which we are parked is the museum.

Attention!

> There are two important differences to notice between French and English in the use of relatives:
>
> ■ You can't leave out the relative pronoun in French.
>
> ■ You can't put prepositions at the end of the clause in French: they must always come before the relative.
>
> *La fourchette **avec laquelle** vous mangez . . .*
> The fork you are eating **with** . . . (= the fork **with which** you are eating . . .)

5 *Ce qui, ce que* 'what', 'that which'

As subject:

> *Ce qui importe le plus . . .*   **What** matters most . . .

As direct object:

Ce que j'aime mieux . . .   **What** I like best . . .

6 *Celui qui / que* 'the one which'
This refers back to a definite noun.

	Masculine	Feminine	
Singular	*celui qui/que*	*celle qui/que*	the one who/which
Plural	*ceux qui/que*	*celles qui/que*	those who/the ones which

As usual, use *qui* for subject and *que* for direct object.

*De toutes ces robes, **celle que** j'aime le mieux c'est la jaune.*
Of all these dresses, the **one** (**that**) I like best is the yellow one.
(Object, refers to the yellow dress.)

***Ceux qui** ne veulent pas visiter le musée peuvent regarder les magasins.*
Those who don't wish to go to the museum can look at the shops.
(Subject, refers to members of a group.)

 Prêts?

1 Catherine va faire du babysitting
Catherine va garder le petit Cédric pour la nuit. Elle vient d'arriver chez les
Duchêne. Dans sa conversation avec Mme Duchêne, comblez les espaces blancs à
l'aide de *qui* ou *que* (*qu'*).
Catherine is going to look after little Cédric for the night. She has just arrived at the
Duchênes'. In her conversation with Mme Duchêne, fill the gaps with *qui* or *que*
(*qu'*).

– Est-ce que je peux regarder la télé?
– Oui, mais regarde la télé .... est au salon, tu entendras mieux Cédric
   t'appeler. Tu peux aussi regarder toutes les vidéos .... tu vois là ou écouter
   les C.D. .... tu verras dans le placard.

– Est-ce que je peux manger le poulet .... est au frigo?

– Oui, et tu peux aussi manger les crêpes .... j'ai faites ce matin.

– Et si Cédric ne veut pas dormir?

– Tu prends un des livres .... tu trouveras sur son étagère et tu lui lis une histoire. Celles .... il préfère sont les histoires de pirates.

– Et s'il y a quelqu'un .... téléphone?

– Tu réponds que nous revenons demain.

– Et s'il y a quelqu'un .... sonne à la porte?

– Tu n'ouvres pas et tu lui dis de revenir demain. Tu peux dormir dans la chambre .... est ici à droite et utiliser la salle de bains .... se trouve à côté de la chambre. Tu peux prendre les couvertures .... tu trouveras dans l'armoire si tu as froid.

2 Le début de la saison de football

Le club de football des jeunes de Picquigny reprend ses activités. Voici les instructions du dirigeant le jour de la rentrée. Choisissez le pronom relatif qui convient.

Picquigny youth football club is resuming its activities. Here are the instructions from the manager on the first day back. Choose the relative pronoun which fits.

1. Vous pouvez utiliser tout le matériel (qui   que   dont) vous avez besoin.
2. Après l'entraînement, rangez les ballons (qui   que   lesquels) vous avez utilisés.
3. Les entraînements ont lieu le jeudi à 18h. Tout jeune (qui   que   dont) ne pourra pas venir doit me téléphoner.
4. Les matchs ont lieu le samedi à 13h30. Nous vous donnerons la liste des matchs (qui   que   lesquels) sont organisés cette saison. Il faut me dire s'il y a des matchs (desquels   auxquels   sur lesquels) vous ne pouvez pas participer.
5. Les jeunes (dont   que   lesquels) les parents souhaitent avoir des renseignements peuvent me téléphoner au 03.22.78.06.82.
6. Tout joueur (lequel   que   qui) sera brutal sera exclu.
7. Les entraîneurs avec (lesquels   que   dont) vous travaillez insistent sur la régularité de l'entraînement pour progresser.
8. Il y a un verre de l'amitié le samedi 20 septembre (dont   auquel   lequel) vous êtes tous invités.

H 3 Le stage de surf

Vous arrivez à Biarritz pour un stage de surf. On vous présente les lieux. Réécrivez la phrase, en trouvant le pronom relatif qui convient et en le faisant accorder.

You arrive at Biarritz for a surfing course and you are shown around. Rewrite the sentence, by finding the suitable relative pronoun and making it agree.

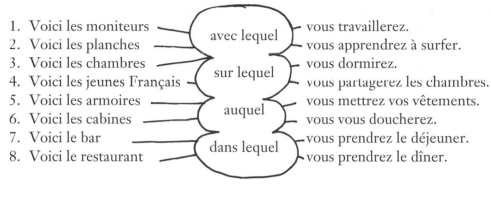

1. Voici les moniteurs — avec lequel — vous travaillerez.
2. Voici les planches — vous apprendrez à surfer.
3. Voici les chambres — sur lequel — vous dormirez.
4. Voici les jeunes Français — vous partagerez les chambres.
5. Voici les armoires — auquel — vous mettrez vos vêtements.
6. Voici les cabines — vous vous doucherez.
7. Voici le bar — dans lequel — vous prendrez le déjeuner.
8. Voici le restaurant — vous prendrez le dîner.

4 Le journal de bord

Au stage de surf à Biarritz vous essayez de multiplier les contacts pour améliorer votre français. Vous parlez de ces contacts dans votre journal de bord. Remplacez les noms en italique par *celui/celle/ceux/celles*.

At the surfing course in Biarritz you try to increase your contacts in order to improve your French. You talk of these contacts in your log-book. Replace the nouns in italics with *celui/celle/ceux/celles*.

Exemple:

J'ai parlé avec *la femme* qui fait la cuisine.
J'ai parlé avec *celle* qui fait la cuisine.

1. J'ai discuté avec *les filles* qui servent au restaurant.
2. J'ai déjeuné avec *le monsieur* qui nettoie les chambres.
3. J'ai été voir *des garçons* qui sont timides et qui ne parlent à personne.
4. *La fille* que j'avais rencontrée le premier jour est venue me parler.
5. *Les garçons* qui travaillent au bar m'ont invité(e) à prendre un verre.
6. *Les touristes* que j'avais vus à la Maison de la Presse sont venus me voir sur la plage.
7. *Les filles belges* que j'ai vues à la piscine vont faire du surf avec moi.

Partez!

5 Qu'est-ce que c'est?

Vous faites des descriptions d'objets ordinaires et les autres doivent deviner de quoi vous parlez. Utilisez chaque fois un pronom relatif.

You make descriptions of ordinary objects and the others have to guess what you are talking about. Use a relative pronoun each time.

Exemples:
– C'est un article **que** nous utilisons pour manger la viande et les légumes.
– Une fourchette.
– C'est un article **avec lequel** nous mangeons la soupe ou le dessert.
– Une cuiller.

H 6 *'Typiquement' britannique*

Vous expliquez à des touristes français qui ne connaissent pas du tout la Grande-Bretagne quelques éléments de la tradition ou de la nourriture britanniques. Utilisez un pronom relatif chaque fois.
You explain to some French tourists who don't know Britain at all some items of British traditions or food. Use a relative pronoun each time.

Exemple:
– Qu'est-ce que c'est que les *jacket potatoes*?
– Ce sont des pommes de terre qui sont cuites dans la four sans être pelées.

Expliquez aussi: le *kilt*, le *beefeater*, le *Christmas pudding*, la *custard*, le *fudge*, le *gravy*, etc.

H 7 *Qui est Sylvie? Où est-elle?*

Imaginez que votre camarade de classe est nouveau/nouvelle dans votre collège, et que vous lui expliquez qui sont les autres élèves. Il/elle vous pose des questions, et vous lui répondez, en utilisant *celui/celle/ceux/celles* et *qui/que* comme dans l'exemple.
Imagine that your partner is new at your school and that you are explaining to him/her who the other pupils are. He/she asks you questions and you reply, using *celui/celle/ceux/celles* and *qui/que* as in the example.

Exemple:
– Qui est Sylvie?
– C'est *celle qui* est assise à côté de Mélanie, *que* tu connais déjà. C'est *celle qui* a les longs cheveux noirs.

Vocabulaire

brutal	rough
l'entraînement (m)	training
entraîneur (m)	trainer
exclu	suspended
lieu: avoir lieu	to take place
le matériel	equipment
la planche	(surf) board
souhaiter	to wish
le stage	course
le verre de l'amitié	drink to friendship

16

ASKING QUESTIONS
the interrogative

 **A vos marques!**

What is the interrogative?
'Interrogative' is just the technical word for 'question' – like when you interrogate somebody. Questions can be 'open', just requiring an answer 'yes' or 'no', or be focussed by a specific question word such as 'who?', 'what?', 'when?', 'how', etc.

1 Open questions
There are several ways of asking questions.

a Turn the verb and subject round

Avez-vous été au Parc Astérix?   **Have you** been to Parc Astérix?
Allez-vous en ville aujourd'hui?   **Are you** going to town today?

Attention!

1. When the subject is a noun, it is stated first, and then the verb turned round ('inverted') with the corresponding 3rd person pronoun.

   Ton frère, va-t-il nous aider?   **Is your brother going** to help us?

2. Third person singular verbs ending in *-e* or *-a* insert a *-t-* to help the sound before *il, elle, on*:
   Arrive-t-il aujourd'hui ou   **Does he arrive** today or
   demain?   tomorrow?

b Use *est-ce-que . . . ?*
You can make any statement into a question by simply tacking *est-ce que* on the beginning. This is a very common way of forming a question and has the advantage that you don't have to turn the verb round!

> *Est-ce que vous avez* été au *Parc Astérix?*
> **Have you** been to Parc Astérix?
>
> *Est-ce que ton frère va* nous aider?
> **Is your brother going** to help us?
>
> *Est-ce qu'il arrive* aujourd'hui ou demain?
> **Does he arrive** today or tomorrow?

c Raise your voice

You will sometimes find that French people simply raise their voice at the end of a statement to make it into a question. You can't of course do this when you are writing, and it does sound a bit casual, even in speech. Our advice is to be prepared to understand it, but take care about using it!

> *Vous avez été* au Parc Astérix?
> **Have you been** to Parc Astérix?
>
> *Il arrive* aujourd'hui ou demain?
> **Does he arrive** today or tomorrow?

2 Interrogative words

Conseil

Est-ce que can usually be inserted after any question word in order to keep the verb the 'right way round'. However, pay particular attention when using *qui* and *que*, as explained in a. and b.

a *Qui?*   'who?' 'whom?'
As subject:

> *Qui a pris mon parapluie?*
> *Qui est-ce qui a pris mon parapluie?*
> **Who** has taken my umbrella?

As direct object:

> *Qui as-tu vu au club?*
> *Qui est-ce que tu as vu au club?*
> **Who(m)** did you see at the club?

After a preposition:

> *Avec qui as-tu joué?*
> *Avec qui est-ce que tu as joué?*
> **Who** did you play **with**?

b *Que (qu')* ... ?   'what ... ?'
As subject:

*Qu'est-ce **qui** s'est passé?* What has happened?
(you can't use *que* by itself here.)

As direct object:

Qu'as-tu vu?
*Qu'est-ce **que** tu as vu?* What have you seen?

c *Quoi?* 'what?'
You use *quoi?* after prepositions:

*Avec **quoi** l'as-tu fait?*
*Avec **quoi** est-ce que tu l'as fait?* **What** did you do it **with**?

And as an emphatic form of 'what?':

*Il a dit **quoi**?* He said **what**?

d *Quel, quelle, quels, quelles?* 'which?' 'what?'
This is an adjective and must be used together with a noun, with which it has to
agree. It implies a choice:

Quelles villes allez-vous visiter? **What towns** are you going to visit?
Quels parfums est-ce tu préferes? **Which flavours** do you prefer?

e *Lequel, laquelle, lesquels, lesquelles?* 'which one?' 'which ones?'
This is a pronoun which refers back to a specific noun. It also implies a choice:

*Il y a des glaces à la vanille ou à la fraise. **Laquelle** est-ce que tu préferes?*
There are vanilla or strawberry ice creams. **Which (one)** do you prefer?

f Other common question words

Quand?	When?
Où	Where?
D'où	Where from?
Comment?	How?
Combien de?	How much, how many?
Pourquoi?	Why?
A quelle heure?	At what time?

Où est-ce que j'ai mis mon parapluie? **Where** have I put my umbrella?
Comment allez-vous réparer ça? **How** are you going to repair that?

***Pourquoi** n'as-tu pas répondu à ma lettre?*

Why haven't you replied to my letter?

 ## Prêts?

1 Poisson d'avril

Le 1er avril les élèves aiment jouer des tours à leurs professeurs. Mme Michaut a dû s'absenter de sa classe pendant quelques minutes, et elle y a trouvé une drôle d'ambiance à son retour. Utilisez les expressions de la colonne de gauche pour compléter ses questions.

On 1st April pupils like to play tricks on their teachers. Mme Michaut had to leave her class for a few minutes, and here's the fun and games she found when she got back. Use the phrases from the lefthand column to complete her questions.

	1. .... a dessiné ces poissons au tableau?
	2. .... vous avez fait de mes lunettes?
Qui est-ce qui	3. .... est caché dans l'armoire?
	4. .... je vois sous cette table?
	5. .... a écrit sur ma chaise?
Qui est-ce que	6. .... vous avez mis dans ce paquet sur mon bureau?
	7. Oh! des poissons en chocolat! .... m'a acheté ces poissons?
Qu'est-ce qui	8. C'est très gentil à vous! .... je peux faire pour vous remercier?
Qu'est-ce que	9. .... vous plairait? que je vous raconte une histoire?

2 Interrogatoire

Vous allez passer trois mois dans une école française pour améliorer votre français. Le premier jour, tout le monde vous presse de questions, mais ce sont des questions en *est-ce que?*. Transformez-les en inversions.

You are going to spend three months in a French school to improve your French. The first day, everyone asks you questions. Change the *est-ce que* form to inversions (ie turn the verb round).

Vive la Grammaire!

Exemple:
D'où est-ce que tu viens? → D'où viens-tu?

1. Pourquoi est-ce que tu viens dans notre école?
2. Où est-ce que tu loges?
3. Tes parents, qu'est-ce qu'ils font?
4. Combien de frères et de soeurs est-ce que tu as?
5. Jusqu'à quelle heure est-ce que tu as le droit de sortir le samedi soir?
6. Est-ce que tu veux sortir avec nous samedi prochain?
7. Quel genre de musique est-ce que tu aimes?
8. Quel sport est-ce que tu pratiques en Angleterre?
9. Pourquoi est-ce que tu ne viendrais pas boire un pot avec nous maintenant?

3 Au poste de police

En vous promenant, vous avez vu une voiture qui roulait vite et qui a ensuite causé un accident. Voici l'interrogatoire des gendarmes au poste de police. Dans la colonne de droite, cherchez les réponses aux questions des gendarmes.
While out for a walk, you saw a car going fast which then caused an accident. These are the questions the police asked you. Match your answers to them.

1. Quelle heure était-il quand vous avez vu la voiture qui a causé l'accident?

   a. Oui, un vieux monsieur.

2. Que faisiez-vous sur cette route à huit heures du soir?

   b. Très vite; à environ cent vingt kilomètres à l'heure.

3. Combien de personnes y avait-il dans la voiture?

   c. Non, je n'ai pas fait attention.

4. A quelle vitesse roulait-elle?

   d. Cinq.

5. Avez-vous relevé le numéro d'immatriculation?

   e. Il était très vieux et très maigre. Il portait des lunettes, un pantalon gris et une chemise à carreaux.

6. Quelle a été votre réaction quand vous avez vu cette voiture?

   f. Environ huit heures du soir.

7. Est-ce qu'il y avait d'autres personnes qui marchaient sur la route?

   g. Je me promenais.

8. Comment était-il?

   h. J'ai eu peur: je me suis dit: cet homme conduit dangereusement.

Partez!

4 On fait connaissance?

Imaginez que vous êtes assis(e) à côté d'un garçon/une fille de votre âge à un match de tennis ou de football en France. Vous vous posez des questions pour en savoir plus sur lui/elle.

Imagine you are sitting next to a boy/girl of your own age at a tennis or football match in France. Ask each other questions in order to know more about him/her. (Use a mixture of *est-ce que*, 'inverted' and 'raised voice' questions).

Exemples:

– Viens-tu souvent voir le tennis/le football?

– Est-ce que tu habites près d'ici?

– Tu es Français(e)?

5 Monsieur/Madame le Maire

Imaginez que le Maire de votre ville jumelle en France rend visite à votre collège. Il/elle ne parle pas anglais, mais il/elle a invité les élèves de votre cours de français à lui poser des questions au sujet de son travail de Maire. Qu'est-ce que vous allez lui demander?

Imagine that the Mayor of your French twin town is visiting your school. He/she doesn't speak English, but he/she invites the pupils in your class to ask him/her questions about his/her job as Mayor. What questions will you ask?

Exemples:

– Où est-ce que le Maire travaille?

– Depuis combien d'années êtes-vous Maire?

Quand vous aurez pensé à une dizaine de questions, vous pourriez y répondre de la part du Maire!

H 6 Un(e) babysitter catastrophique!

Un soir vous faites du babysitting chez des amis qui sont allés au cinéma. Malheureusement vous vous êtes endormi(e) devant la télé, et les enfants, les petits enfants André, 5 ans, et Paul, 7, se sont réveillés et ils ont complètement désorganisé la maison. Utilisez les mots interrogatifs pour leur poser des questions.

One evening you are babysitting for some friends who have gone to the cinema. Unfortunately you fell asleep in front of the TV, and the 'babies', André, 5, and Paul, 7, have woken up and caused havoc in the house. Use interrogatives to ask them questions.

Exemples:

– Qu'est-ce que vous avez fait de mes chaussures?
– Pourquoi avez-vous ouvert toutes les fenêtres?
– Comment avez-vous allumé la cuisinière à gaz?
– Que va dire votre mère? etc, etc.

Vocabulaire

boire un pot	to have a drink
une chemise à carreaux	a check shirt
le droit	the right
l'immatriculation (f)	registration number
plaire	to please
relever	to take down (details)

17

WHAT A LANGUAGE!
WHAT A LOT OF RULES!

exclamations

 **A vos marques!**

Some of the words used to ask questions in the previous chapter are also used to make exclamations.

1 *Quel, quelle, quels, quelles . . . !*
This is used with a noun meaning 'what a . . . !', 'what . . . s!'.

Quelle langue!	What a language!
Quel professeur!	What a teacher!
Quels problèmes!	What problems!
Quelles difficultés!	What difficulties!
Quels bons élèves!	What good pupils!

2 Que de . . .   what a lot of . . . !
Que de règles!	What a lot of rules!
Que de mots à apprendre!	What a lot of words to learn!

3 Qu'est-ce que + verb . . .   how . . . ! look how . . . !
Qu'est-ce que je suis bête!	**How** silly I am!
Qu'est-ce que tu es intelligent!	**How** intelligent you are!
Qu'est-ce qu'il neige!	**Look how** it's snowing!

Prêts?

1 La parade de Disneyland

Vous êtes mêlé(e) à la foule qui admire la parade de Disneyland et vous entendez les reflexions des spectateurs admiratifs. Retrouvez ces exclamations à partir des suggestions données ci-dessous.

You are mingling with the crowd which is watching the Disneyland procession, and you hear the comments of the admiring spectators. Make up exclamations from the suggestions given below.

a. **Exemple:** Il y a beaucoup de monde! → Que de monde il y a!
   1. Il y a de beaux chars!
   2. Les musiciens ont de beaux uniformes!
   3. Il y a beaucoup de personnages sur le char de Blanche Neige!
b. **Exemple:** La fanfare est vraiment bonne! → Quelle bonne fanfare!
   4. La musique est vraiment entraînante!
   5. Le char du Livre de la Jungle est amusant!
   6. Le Grand Méchant Loup a l'air féroce!
   7. Les Trois Petits Cochons sont fabuleux!
   8. Minnie et Mickey sont des personnages extraordinaires!
c. **Exemple:** La fanfare joue bien! → Qu'est-ce que la fanfare joue bien!
   9. Mowgli court vite!
   10. Robin des Bois se bat bien!
   11 Mary Poppins danse gracieusement!
   12. Dingo amuse les enfants!

 **Partez!**

2 Que d'exclamations vous faites!

Vous imaginez des situations et les exclamations que vous pourriez faire dans ces situations.

You imagine some situations, and the exclamations you might make in these situations.

Exemples:

1. Vous êtes au match de football:
   Qu'est-ce que cette équipe joue mal aujourd'hui!
   Quel but!
   Que de spectateurs!
2. Vous êtes au bord de la mer en été:
   Qu'est-ce qu'il fait chaud aujourd'hui!
   Que de monde sur la plage!
   Quelle pollution!

Vocabulaire

le but	goal
le char	float
entraînant	lively, jolly, 'catchy'
la fanfare	brass band
féroce	fierce, ferocious
gracieusement	gracefully
le Grand Méchant Loup	the Big Bad Wolf
Robin des Bois	Robin Hood

18

WATCH THAT PRONUNCIATION AND SPELLING!

 **A vos marques!**

You must have noticed by now that French sounds are very different from English ones, and that words which may be spelt the same in both languages in fact sound very different.

We could fill a whole book about the more subtle points of French spelling and pronunciation, but we will simply concentrate here on the points that seem to give English-speaking students most trouble.

 Conseil!

You can't learn sounds from a printed book: you have to hear them. So use these notes on pronunciation together with your teacher, your French *assistant(e)*, or other native French speaker.

1 Vowels, consonants and syllables
You need to know what these are:

■ **Vowel** sounds in French are *a e i o u* and also combinations of these, such as *ai, au, eau, eu, oi, ou*; also *y* when pronounced the same as *-i-*, and the 'nasal' sounds ending in *-n* (see Section 3d below).

■ **Consonant** sounds mean all other sounds: *b c/k/qu ch d f/ph g j l ll m n gn p r s/ç t/th v x y z/s*

■ **Syllables** are the consonant + vowel-sound components that make up a word: *fran-çais, li-vre, man-gez, in-tel-li-gent, Pa-ris, Bor-deaux.*

120

2 Accents

Accents **do matter**! They are part and parcel of French spelling and usually indicate that the vowel they are over is pronounced differently from if there were no accent.

There are three main accents which you put on top of a vowel:

■ (´) *accent aigu* or 'acute' accent: only found on *é*: **été**, **mangé**, **événement**.

■ (`) *accent grave* or 'grave' accent, mainly on *è* (*boulangère*, *frère*), but also used to distinguish words otherwise spelt the same: **à** 'to'/*(il) a* (he) has; **où** 'where'/*ou* 'or'; **là** 'there/*la* 'the', and on *voilà*.

■ (^) *accent circonflexe* or 'circumflex' accent, found on any vowel: *théâtre*, *(vous) êtes*, *gîte*, *hôte*, *flûte*.

■ There is also the *cédille*, or 'cedilla', which you put under *ç* in the combinations *ça, ço, çu* to show that the *c* is pronounced 'soft', like an *s*: *ça, lançait, garçon, reçu*, and the *tréma* (¨), which you will find just occasionally to separate two vowels, as in *Noël*.

3 Vowels

a *e* sounds

There are three different *e* sounds:

■ 'Closed' *e*: this is a 'tight' sound, usually spelt: *-é, -er, ez*, and also *-ai*:

  *prépar**er**, prépar**é**, prépar**ez**, préparer**ai***.

■ 'Open' *e*: pronounced with your mouth further open, usually spelt: *-è, -e* + double consonant (*-**ell**e, -**ett**e*), *-et*, and the imperfect/conditional endings: *-ais, -ait, -aient*: **ell***e*, *j***ett***e*, *jou***et**, *all***ais**, *all***ait**, *all***aient***.

■ 'Mute' *-e*: this is *e* without an accent in all other places:

  1. when it comes on the end of a word of more than one syllable, and in the *-ent* verb ending, it is hardly sounded, except in certain regional accents: mang**e**, mang**es**, mang**ent**, travaill**e**, gomm**e**, Marseill**e**.

  2. Otherwise, it is pronounced as in *le*: *me, se, ce, je, je te regarde, appeler, jeter*.

b *Ou* and *u*

These are two different sounds, so practice both listening/identifying them and pronouncing them!

tout/tu   vous/vu   dessous/dessus   nous/nu   d'où/du   oui/huit

c *-o* sounds

There are two *-o* sounds. Practice and contrast:

■ *homme, gomme, pomme, bonne, trottoir, tricoter, vol, voleur, folle*

with

■ *hôte, rose, oser, gros,* **au**, *gâteau, chevaux*

Unless there is a circumflex on the *ô*, you just have to learn which sound the *o* has!

d 'Nasal' vowels

The ones you pronounce through your nose! There are four different nasal sounds, all ending in *-n-*, which English speakers often fail to distinguish. Don't let this happen to you!

Practise and contrast these groups with each other:

■ *-an/-en*: *en, dans, grand, vent, sent, sans, tante, tente, France*

■ *-on*: *bon, son, ont, font, vont, allons, montons, on monte*

■ *-in/-ain/-ein*: *vin, pain, peint, inquiet, insecte*; also: *-ien*: *italien, mécanicien*

■ *un*: *un, lundi*

e *-oi -oy* sounds

Be careful with the pronunciation of the very common combination *-oi/-oy*:

Practise: *moi, toi, joie, oie, soit, voix, boîte, noir, croire, crois, croissant, envoie, envoyé.*

4 Consonants

a Consonants on the end of a word

The following consonants are not usually sounded when they come alone or in combination with each other on the end of a word: *d, g, s, t, x, z*: *bord, bords, lourd, lourds, sans, les, mes, et, est, jouet, choux, mangez, rez-de-chaussée.*

Conseil!

This means that *-s* or *-x* added to make a noun or adjective plural is not heard, and you have to listen for the 'agreement' marker to indicate that the noun is plural: **mon** *frère* → **mes** *frères*. This is fully explained in Chapter 1.

However, the last consonant is carried on to the next word of a phrase if it begins with a vowel. This is called 'liaison':

un bon enfant, sans elle, mes amis, dix hommes, est-il?, prend-il?, allez-y!

-r is usually sounded (*fleur, amour, car*) except on the end of a word ending *-er*, which has the *-é* sound, as in many infinitives. Exceptions: *mer, cher, fier, amer*.

b Consonants to pay particular attention to

■ *h* on the beginning of a word: most are completely ignored, they are not pronounced and the word is regarded as beginning with a vowel: ***l'homme***, ***s'habiller***, *je **m'habille***, *un **hôtel***. However, *h* is sometimes 'aspirate': this means that although it is still not sounded, it forms a barrier between the preceding word and the first vowel, and articles don't shorten and there is no liaison: *le: **haricot**, les: **haricots**, en: **haut***.

■ *ll* is usually pronounced *-y-*: *reveiller, mouillé, grillade, fille*, (but not in *ville, village*, or after *e: intelligent*). Also *-l* in the endings *-ail, -eil, -euil*: ***ail**, réveil, accueil*.

■ *-n* at the end of a syllable usually forms a nasal vowel, see 3d above.

■ *-gn-* is always pronounced like *-ni-* in 'onion': *oignon, espagnol, signe*.

■ *th* is sounded the same as *t*: ***thé***

■ *qu* is always sounded 'k', never 'kw': ***quel, qui, que, question***.

Prêts?

1 Entraînez-vous!

Entraînez-vous aux sons décrits ci-dessus avec votre professeur, assistant(e) de français ou une autre personne dont la langue maternelle est le français.
Practise the sounds described above with your teacher, French *assistant(e)* or other French native speaker.

2 Vous n'avez pas d'accent!

Voici la lettre que Vanessa, une jeune fille britannique, a écrit à sa nouvelle correspondante française. Malheureusement elle ne sait pas comment imprimer les accents à son ordinateur. Alors, mettez les trente-deux accents (´ ` ^ ç)!
This is the letter that Vanessa, a young British girl has written to her new French

penfriend. Unfortunately she doesn't know how to print the accents on her
computer. Put the 32 accents on for her (´ ` ^ ç)!

Je m'appelle Vanessa. J'ai quinze ans. Je suis nee a Birmingham. J'habite
maintenant a Stafford, mais autrefois, j'ai habite pres de Londres. Mon
pere est ingenieur et ma mere est infirmiere a l'hopital de la region. Tous
les deux parlent bien le francais, parce qu'ils ont passe beaucoup de temps
en France. Mon frere s'appelle Tom et il va a l'ecole primaire a cote de
chez nous. C'est un garcon sympa. Au college, j'etudie huit matieres au
total, mais je prefere la geographie et les mathematiques. Dans mon
temps libre, j'aime aller au cinema et au theatre. Et toi, que fais-tu et ou
vas-tu dans tes heures libres?

Partez!

3 Où sont les accents?

a. Ecrivez le passage ci-dessus à l'ordinateur, en mettant tous les accents.
Write the above passage on a word-processor, putting in all the accents.

b. Choisissez un autre passage de votre manuel principal de français et écrivez-le à
l'ordinateur avec tous ses accents.
Choose another passage from your main textbook and write it on the word-
processor with all its accents.

19

DOING THINGS ...
verbs, tenses, persons and infinitives

 Conseil!

Chapters 20 to 40 will give you detailed information and practice on verbs and their tenses, but study this chapter before going any further!

1 What is a verb?

A verb tells you what someone or something **does**. In other words, it describes an **action**, such as 'make', 'sing', 'walk', 'write', 'be'.

2 What is a tense?

A tense tells you **when** an action happens, happened or will happen: in other words it sets the action within a time framework. Chapters 20 to 29 explain in full the main tenses in French.

3 What is a 'person'?

These refer to **who** is doing the action (I/we, you, he/she/they). The numbering of the persons is rather selfish: you always think of yourself/selves as No. 1! Then the person(s) you are talking **to** as No. 2 and the rest (he/she/it/they) as No. 3! Nouns always take the 3rd person, eg my dad **is** great, the children **are** very small, the bus **arrives**. 'I' is 'first person **singular**' because there's only one of you, and 'we' is 'first person **plural**' because there are two or more. Here are the three persons of the verb set out in both French and English:

	Singular		Plural	
1st person	*je*	I	*nous*	we
2nd person	*tu*	you	*vous*	you
3rd person	*il/elle*	he/she/it	*ils/elles*	they

4 What is an ending?

You've guessed: it's the bit that comes on the end, and tells you which tense you are in and which person of the verb you are using.

5 What is a stem?

It's what's left when you've removed the ending: the part you put the endings on to.

6 What is the infinitive?

The infinitive is the part of the verb, the 'title', if you like, that you find in a dictionary or vocabulary. You may come across the term 'finite' verb: this means a verb in a tense. The infinitive is not a tense – it is 'in-finite'. You could also describe it as the verb 'in neutral', before you put it in a tense.

French infinitives usually end in -*er* (the biggest group), -*ir* or -*re*. These are the three conjugations, or 'families' of verbs, and the tense endings you use will in most cases be indicated by the infinitive ending. These verbs are called **regular**.

Verbs which don't behave according to these three categories are called **irregular**, and you have to learn the parts where they don't obey the rules. Both regular and irregular verbs are listed in full in the verb list in Chapter 40.

Conseil!

Here's a useful tip for practising verb endings (which your teacher may already use with you, but you can do it at home or for private study). Take an ordinary dice, and let each number represent one of the six persons of the verb: 1 = *je*, 2 = *tu*, 3 = *il/elle*, 4 = *nous*, 5 = *vous*, 6 = *ils/elles*. Select a verb and tense, throw the dice, and say or write down the part shown by the dice: eg present of *manger*, score 4 or *nous* = *nous mangeons*. You could make a game of it with a partner, scoring a point for each correct ending.

20

DOING THINGS NOW
the present tense of regular verbs

 **A vos marques!**

What is the present tense?

The present tells you what happens as a general rule or what is happening at this moment.

1 How to form the present tense

a Totally regular verbs

Remove the *-er*, *-ir* or *-re* from the infinitive and add the endings as shown below:

regard**er**	to look	fin**ir**	to finish	vend**re**	to sell
je regarde	I look	*je finis*	I finish	*je vends*	I sell
tu regardes	you look	*tu finis*	you finish	*tu vends*	you sell
il/elle regarde	he/she looks	*il/elle finit*	he/she finishes	*il/elle vend*	he/she sells
nous regardons	we look	*nous finissons*	we finish	*nous vendons*	we sell
vous regardez	you look	*vous finissez*	you finish	*vous vendez*	you sell
ils regardent	they look	*ils finissent*	they finish	*ils vendent*	they sell

 Conseil!

- the *nous* form always ends in *-ons*
- the *vous* form always ends in *-ez*
- the *ils/elles* form always ends in *-ent* which you don't sound!
- *-ir* verbs have the additional *-iss-* in the middle in the plural forms
- the *il* form of *-re* verbs ends with the *-d* of the stem.

b 'Boot' verbs
Small but important spelling adjustments: 1-2-3-6 or 'boot' verbs!

The following groups of *-er* verbs are not really irregular, but they do change their sound and their spelling in the singular and 3rd person plural, ie parts 1-2-3 and 6

■ *acheter* to buy *e* becomes *è*

1	*j'achète*	4	*nous achetons*
2	*tu achètes*	5	*vous achetez*
3	*il/elle achète*	6	*ils/elles achètent*

Also: *amener* to bring, *emmener* to take away, *mener* to lead, *se lever* to get/stand up, *se promener* to go for a walk/ride, *peser* to weigh

■ *appeler* to call, *jeter* to throw: double the final consonant (*l* becomes *ll*: *t* becomes *tt*)

j'appelle	*nous appelons*
tu appelles	*vous appelez*
il/elle appelle	*ils/elles appellent*

je jette	*nous jetons*
tu jettes	*vous jetez*
il/elle jette	*ils/elles jettent*

Also *rappeler* to remember, to phone back

■ *espérer* to hope: change acute accent *é* to grave *è*

j'espère	*nous espérons*
tu espères	*vous espérez*
il/elle espère	*ils/elles espèrent*

Also *s'inquiéter* to worry, *préférer* to prefer, *protéger* to protect, *répéter* to repeat, *sécher* to dry.

■ *employer* to use: *-y-* becomes *-i-* in the same places

j'emploie	*nous employons*
tu emploies	*vous employez*
il/elle emploie	*ils/elles emploient*

Also *appuyer* to lean, press, *envoyer* to send, *renvoyer* to send back, *essuyer* to wipe, *nettoyer* to clean, *se noyer* to drown. *Essayer* to try (*j'essaie*), *payer* to pay and other verbs ending in *-ayer* are also usually spelt that way, though the change is not compulsory.

As you can see, a good way to remember where these changes happen is to draw a line around them: *et voilà!* you have a boot! Call them 'boot' verbs or '*verbes bottés*', if you like, though this isn't an 'official' grammar term!

■ Note also:
manger to eat and *lancer* to throw, and other *-er* verbs which have a *-g-* or a *-c-* before the ending are spelt *-ge-* or *-ç-* respectively in the *nous* form in order to keep the 'soft' sound of the *-g-* and *-c-*

nous man**ge**ons   nous lan**ç**ons

Also *s'allonger* to lie down, *nager* to swim, *partager* to share, *protéger* to protect; *annoncer* to announce.

2 Uses of the present tense
Note: some examples contain irregular verbs which are dealt with in full in the next chapter. The uses are the same, of course, for both regular and irregular verbs.

The present is used:

■ to say what happens repeatedly, at certain intervals:

*Chaque année **nous allons** au bord de la mer.*	Every year **we go** to the seaside.
*Chantal **se douche** tous les matins.*	Chantal **showers** every morning.
*D'habitude Alain **passe l'aspirateur** dans la salle de séjour.*	Alain usually **hoovers** the lounge.
J'écris à mon correspondant au Canada tous les mois.	**I write** to my penfriend in Canada every month.

■ to say what **is happening** at the present time:

*Dans cette photo nous **faisons une pique-nique** sur la plage.*	In this photo **we're picnicking** on the beach.
*Chantal **ne peut pas** venir au téléphone: elle **se douche**.*	Chantal **can't** come to the phone: **she's taking a shower**.
*Alain **passe l'aspirateur** dans la salle de séjour.*	Alain **is hoovering** the lounge.
J'écris à mon correspondant au Canada.	**I'm writing** to my penfriend in Canada.

■ to say what is happening in the immediate future, as in English:

*Qu'est-ce que **tu fais** ce soir?*	What **are you doing** this evening?
Je joue au tennis avec mes copines.	**I'm playing** tennis with my friends.

> 👀 **Attention!**
>
> There is only one form of the present tense in French: there is no literal equivalent of **I'm** play**ing** – you always say *je joue*.

See also Chapter 21 for the use of the present with *depuis*.

 **Prêts?**

1 Travailler à Disneyland

Isabelle travaille à Disneyland. Elle décrit ce qu'elle et ses camarades de travail font. Trouvez la forme correcte du présent.

Isabelle works at Disneyland. She describes what she and her workmates do. Find the correct form of the present.

1. Je (travaille   travaillons   travaillent) à Disneyland.
2. Les visiteurs (arrives   arrive   arrivent) en voiture ou par le RER du centre de Paris.
3. Nous (commencons   commençons   commencez) le matin a 8h et nous (finis   finissez   finissons) à 16h.
4. En été, le parc (restes   reste   restent) ouvert jusqu'à 24h.
5. L'hiver, ils (fermez   fermes   ferment) le parc à 21h et quelquefois à 19h quand il fait froid.
6. Au bureau de renseignements, je (répond   répondent   réponds) aux questions des visiteurs.
7. Ma copine, Audrey, (vend   vends   vendent) les glaces.
8. Mes amis et moi (mangeons   mangent   mangons) à l'Auberge de Cendrillon ou au Chalet de la Marionnette.
9. Les touristes (achetez   achète   achètent) beaucoup de souvenirs à Frontierland.
10. Je me (proméne   promène   promenne) dans le parc après mon travail.
11. Voici une conversation que j'ai entendue entre deux touristes:
    – Tu (envoies   envoyez   envoie) des cartes postales à ta famille?
    – Oh non! Je (préfères   préfèrent   préfère) garder mon argent pour aller à la Rustler Round-up Shootin' Gallery! C'est fantastique! On se croirait au Far West!

2 Les personnages de Walt Disney

Isabelle va maintenant vous parler des personnages de Walt Disney qu'elle adore. Trouvez les verbes pour compléter les phrases dans la case ci-dessous.

Isabelle is now going to talk about the Walt Disney characters she loves. Find the verbs to complete the sentences from the box below.

Tu te .... Baloo? Il se .... dans le parc et .... la main des visiteurs. Il est formidable! Il .... superbement le swing. Les Sept Nains .... beaucoup les enfants dans l'attraction 'Blanche Neige et les sept Nains', mais les enfants .... surtout Blanche Neige et son Prince Charmant! Moi, je .... Geppetto et Pinocchio. Avec mon amie nous .... quelquefois l'attraction des Voyages de Pinocchio. C'est super! On .... de l'Italie! Et toi, quels personnages ....-tu? Avec ta famille, vous .... pour la parade? C'est sensass! On .... tous les personnages de Disney!

aimes	adorent	danse	rêve	admire	restez	visitons	promène
	préfère	rappelles	serre	amusent			

3 Une invitation

Vous êtes au Camp Davy Crockett à Disneyland et vous écrivez à votre correspondant(e) et sa famille pour leur raconter ce que vous faites et les inviter à passer quelques jours avec vous et votre famille. Mettez les verbes entre parenthèses à la personne qui convient.

You are at Camp Davy Crockett at Disneyland and you are writing to your penfriend and his/her family to tell them what you are doing and to invite them to spend a few days with you and your family. Put the verb in brackets into the correct person.

Chers amis,

Nous voici à Disneyland. Avec mes parents, nous (loger) dans un bungalow au Camp Davy Crockett, à cinq kilomètres environ du parc Disneyland. Le bungalow est bien équipé mais nous (cuisiner) sur le barbecue et nous (manger) dehors. Mes parents (acheter) la nourriture en ville au 'Alamo Trading Post'. Tous les matins mon père se (baigner) dans la piscine et ensuite nous (jouer) au tennis. L'après-midi, nous (choisir) une autre activité. Quand viendrez-vous nous voir? Pourquoi ne nous (téléphoner)-vous pas pour dire quand vous (arriver)? Nous nous (amuser) beaucoup et nous serons contents de vous faire partager tout ceci.

A bientôt

Partez!

4 Pendant les vacances

a. Dites 10 choses que vous faites pendant les vacances, en utilisant les verbes suivants.
Say 10 things you do during the holidays, using the following verbs.

se lever – manger – regarder – se promener – se reposer – acheter – se coucher – se détendre – jouer – s'amuser – se baigner

Exemple: Je me lève tard/de bonne heure/à neuf heures

b. Maintenant dites 10 choses que vous *ne faites pas* pendant les vacances. Utilisez quelques verbes de la section (a) ou peut-être ces autres ci-dessous.
Now say 10 things you *don't* do in the holidays. Use some verbs from (a) and perhaps those below.

travailler – s'habiller en uniforme – attendre le bus chaque matin

c. Maintenant dites ce que vos parents ou vos frères ou soeurs font et ne font pas pendant les vacances.

5 Interview

Travail par deux. Vous interviewez un personnage sur sa vie quotidienne. Votre camarade de classe est le personnage, qui répond à vos questions. Utilisez quelques verbes de l'exercice 4, et aussi: *arriver au travail, terminer le travail, déjeuner, dîner, choisir.*
In pairs. You are interviewing a personality about his/her daily life. Your partner is the personality, who answers your questions. Use some verbs from exercise 4 and also: *arriver au travail, terminer le travail, déjeuner, dîner, choisir.*

Exemples: – A quelle heure est-ce que vous vous levez le matin?
– Je me lève vers huit heures.
– Pour travailler, quels vêtements choisissez-vous?
– Pour le travail, je choisis un costume bleu.

Vocabulaire

se détendre	to relax
le RER	Paris suburban railway

21

DOING THINGS NOW
the present tense of irregular verbs

 **A vos marques!**

There are quite a lot of French verbs that don't follow the 'regular' patterns set out in Chapter 20. However, we have broken down irregular verbs into types, in order to help you learn them.

1 Groups of irregular verbs

There are several small groups of irregular verbs which follow the same pattern of irregularity in the present tense.

a *-ir* verbs with *-er* endings
ouvrir to open

j'ouvre	*nous ouvrons*
tu ouvres	*vous ouvrez*
il/elle ouvre	*ils/elles ouvrent*

Also: *accueillir* to welcome, *cueillir* to gather, *couvrir* to cover, *découvrir* to discover, *offrir* to offer, *souffrir* to suffer

b *-ir* verbs without *-i-*
sortir to go out

je sors	*nous sortons*
tu sors	*vous sortez*
il/elle sort	*ils/elles sortent*

Vive la Grammaire!

Also: *courir* to run, *dormir* to sleep, *s'endormir* to go to sleep, *mentir* to lie/tell lies, *partir* to leave, *sentir* to feel/smell, *servir* to serve

c The following groups of -re verbs
éteindre to put out, extinguish

j'éteins	*nous éteignons*
tu éteins	*vous éteignez*
il/elle éteint	*ils/elles éteignent*

Also: *craindre* to fear, *joindre* to join, *peindre* to paint, *se plaindre* to complain

conduire to drive

je conduis	*nous conduisons*
tu conduis	*vous conduisez*
il/elle conduit	*ils/elles conduisent*

Also, *détruire* to destroy, *produire* to produce, *réduire* to reduce, *traduire* to translate

2 Completely irregular verbs
These are the most important irregular verbs. We advise you to learn them, as they are very much used! However, here are a few helpful hints:

■ Most have singular endings -*s*, -*s*, -*t*: *je bois, tu bois, il boit*

■ Where the stem ends in -*d* there is no -*t* in the 3rd person singular: *il prend*.

■ The vowel often changes in the plural: *boire: je bois → nous buvons*

■ The vowel may change back in the 3rd person plural: *ils boivent*

■ or it may stay the same: *savoir: nous savons → ils savent*: watch out also here for a possible consonant change: *nous prenons → ils prennent*

■ The key parts are therefore 1-4-6: *bois – buvons – boivent*: the other endings usually follow as normal.

s'asseoir	sit:	*je m'assieds, tu t'assieds, il s'assied, nous nous asseyons, vous vous asseyez, ils s'asseyent*
boire	drink:	*je bois, tu bois, il boit, nous buvons, vous buvez, ils boivent*
connaître	know:	*je connais, tu connais, il connaît, nous connaissons, vous connaissez, ils connaissent*
Also: *paraître* to seem, *reconnaître* to recognize.		

coudre	sew:	*je c**oud**s, tu couds, il coud, nous c**ous**ons, vous cousez, ils c**ous**ent*
croire	believe/think:	*je c**rois**, tu crois, il croit, nous croyons, vous croyez, ils c**roi**ent*
devoir	must/to have to:	*je **dois**, tu dois, il doit, nous d**ev**ons, vous devez, ils d**oiv**ent*
écrire	write:	*j'éc**ris**, tu écris, il écrit, nous éc**riv**ons, vous écrivez, ils éc**riv**ent*

Also: *décrire* to describe.

falloir:	be necessary:	*il faut* only: it is necessary
mettre	put:	*je **mets**, tu mets, il met, nous **mett**ons, vous mettez, ils **mett**ent*

Also: *promettre* to promise, *remettre* to put back

mourir	die:	*je me**urs**, tu meurs, il meurt, nous m**our**ons, vous mourez, ils m**eur**ent*
pleuvoir	rain:	*il pleut* only
pouvoir	be able, can:	*je p**eux**, tu peux, il peut, nous p**ouv**ons, vous pouvez, ils p**euv**ent*
prendre	take:	*je pr**end**s, tu prends, il prend, nous pr**en**ons, vous prenez, ils pr**enn**ent*
recevoir	receive:	*je re**çois**, tu reçois, il reçoit, nous rec**ev**ons, vous recevez, ils re**çoi**vent*
rire	laugh:	*je r**is**, tu ris, il rit, nous r**i**ons, vous riez, ils r**i**ent*

Also: *sourire* smile

rompre	break:	*je r**omp**s, tu romps, il romp**t**, nous r**omp**ons, vous rompez, ils r**omp**ent*

Also: *interrompre* interrupt

savoir	know:	*je **sais**, tu sais, il sait, nous **sav**ons, vous savez, ils **sav**ent*
suivre	follow:	*je **suis**, tu suis, il suit, nous **suiv**ons, vous suivez, ils **suiv**ent*
venir	come:	*je v**iens**, tu viens, il vient, nous v**en**ons, vous venez, ils v**ienn**ent*

Also: *devenir* become, *revenir* come back, *se souvenir* remember; *tenir* hold, *appartenir* belong, *obtenir* obtain, *retenir* retain, hold back

vivre	live:	*je v**is**, tu vis, il vit, nous v**iv**ons, vous vivez, ils v**iv**ent*
voir	see:	*je v**ois**, tu vois, il voit, nous v**oy**ons, vous voyez, ils v**oi**ent*
vouloir	want:	*je v**eux**, tu veux, il veut, nous v**oul**ons, vous voulez, ils v**eul**ent*

Vive la Grammaire!

The following verbs are very irregular – and very common: if you don't know them by now it's high time you did!

aller	go:	*je **vais**, tu **vas**, il **va**, nous **allons**, vous allez, ils **vont***
avoir	have:	*j'**ai**, tu **as**, il **a**, nous **avons**, vous avez, ils **ont***
dire	say/tell:	*je **dis**, tu dis, il dit, nous **disons**, vous **dites**, ils **disent***
être	be:	*je **suis**, tu **es**, il **est**, nous **sommes**, vous **êtes**, ils **sont***
faire	do/make:	*je fais, tu fais, il fait, nous faisons, vous **faites**, ils **font***

3 Uses of the present tense

The same uses apply as for regular verbs in Chapter 20, Section 2. Here is another use which also applies to all verbs.

To say what has been happening for a period of time or since a particular time **and is still happening**: ie how long you have been doing something for.

Attention!

Pay particular attention to this way of saying things, as in English a past tense is used. In French you use the present tense + *depuis* + the amount of time the action has been going on or the time when it started.

*Depuis quand **attendez-vous** le bus?*
How long have you been waiting for the bus?
*Nous **attendons** ici **depuis** vingt minutes.*
We've been waiting here **for** twenty minutes.
*Joël **joue** au tennis **depuis** 1998.*
Joël **has been playing** tennis **since** 1998.
*Martine **travaille** pour Air France **depuis** l'année dernière.*
Martine **has been working** for Air France **since** last year.

 Prêts?

1 Que font-ils?

a. Utilisez les verbes donnés pour dire ce que font ces personnes et ces animaux.
Use the verbs given to say what these people and animals are doing.

1. Il .... à l'école. (aller)
2. Elle .... du supermarché. (venir)
3. Il .... une lettre. (recevoir)
4. Elle .... du vélo. (faire)

5. Ils .... des cartes postales. (écrire)
6. Ils .... devant le feu. (dormir)
7. Elles .... (courir)
8. Je .... très bien! (conduire)

b. Choisissez la légende qui convient.
Choose the right caption.

1. il peut
   il pleut
   il prend

2. il va
   il veut
   il voit

3. elle sort
   elle sait
   elle sent

4. il suit
   il sait
   il sert

5. ils croient
   ils doivent
   ils boivent

2 Le camping sous la pluie

Vous êtes en vacances avec vos parents en France, mais il pleut tout le temps. Ce n'est pas drôle! Pour passer le temps sous la tente, vous écrivez à votre correspondant(e) dans le Midi et vous lui expliquez ce que vous faites. Mettez les verbes entre parenthèses à la personne du présent qui convient.
You are on holiday with your parents in France, but it's raining all the time. It isn't funny! You write to your penfriend in the south of France and explain what you are doing. Put the verbs into the right person of the present.

Il (faire) mauvais ici à Abbeville. Il (pleuvoir) tout le temps! Je (sortir) avec mes parents et quelquefois je (aller) au cinéma, mais je ne (comprendre) pas bien les films en français! Je (dormir) beaucoup, mais sous la tente, ce n'est pas amusant. J'(entendre) la pluie qui tombe toute la nuit et le matin, quand j'(ouvrir) la tente, je (voir) que tout (être) mouillé et je me (dire): qu'est-ce nous (aller) faire aujourd'hui? Est-ce que nous (pouvoir) descendre chez toi dans le

Sud? Moi, je (vouloir) bien, et si tu es d'accord, je (pouvoir) demander à mes parents.

3 Une journée à Paris

Avec vos parents vous décidez de passer une journée à Paris. Vous allez au syndicat d'initiative à Abbeville où l'on vous donne quelques renseignements. Choisissez la forme convenable du verbe pour chaque phrase.

With your parents you decide to spend a day in Paris. You go to the tourist office in Abbeville where you are given some information. Choose the right form of the verb for each sentence.

1. Comment ....-on aller à Paris en partant d'Abbeville? (peut – peux – peuvent)
2. Oh! Il .... prendre le train. C'est ce qu'il y a de mieux. En voiture, vous ne .... jamais où vous garer à Paris. ....-vous Paris? (falloir – faut) (sait – savent – savez) (connaissons – connaît – connaissez)
3. Non, mais mon père y .... quelquefois pour ses affaires. (va – vais – allons)
4. Alors, vous .... un plan du métro? (avez – avons – ont)
5. Non. ....-vous nous en donner un? (pouvons – peuvent – pouvez)
6. Voici. Que ....-vous voir à Paris? (voulons – veulent – voulez)
7. Mes parents .... voir quelque chose d'amusant. (voulons – veulent – veut)
8. Alors, vous .... le métro jusqu'à Anvers, et vous .... jusqu'à la Place du Tertre pour voir les peintres. Ils .... très bien. Ils .... même d'excellentes caricatures! (prenez – prenons – prennent) (va – allez – vont) (peignez – peint – peignent) (fait – faites – font)
9. Quelle bonne idée! On y ....! (vont – allons – va)

Partez!

5 Le matin

a. Travail en classe entière comme un jeu, ou par deux. Vous vous posez des questions sur vos activités le matin, en utilisant les verbes suivants avec *tu*. Whole class game or pair work. You ask each other questions about your morning activities, using the following verbs with *tu*.
   aller (à l'école, au supermarché, etc), faire (la vaisselle, les devoirs, etc), venir (en bus, à vélo, à pied, etc), prendre (une douche, le petit déjeuner, etc), devoir (aider tes parents), mettre (le couvert, l'uniforme), partir, voir (tes amis, tes profs, etc)

Exemples:

Comment viens-tu à l'école? Je viens en bus.

Est-ce que tu prends du thé ou du café? Je prends du thé.

b. Maintenant posez des questions semblables à votre professeur, en utilisant *vous*.
Now ask your teacher similar questions using *vous*.

6 Travail à trois

Divisez-vous en groupes de trois. L'un d'entre vous choisit un des verbes de la liste de la section *A vos marques!* et en fait une phrase avec *je*. Les deux autres doivent dire que 'nous aussi, nous faisons la même chose, c'est-à-dire qu'ils répètent la même phrase, mais au pluriel.

Divide into groups of three. One of you chooses a verb from the list in *A vos marques!* and makes a sentence beginning *je*. The two others have to say that they do the same thing, but in the plural, of course.

– Je lis le journal tous les jours.

– Nous aussi, nous lisons le journal tous les jours!

– Je bois un verre d'eau en déjeunant.

– Nous aussi, nous buvons un verre d'eau en déjeunant!

Pour compliquer un peu les choses, vous pouvez utiliser la troisième personne:

– Mon frère écrit à une fille en France.

– Nos frères aussi écrivent à des filles en France!

7 Depuis quand?

Mettez les mots dans le bon ordre.

Put the words in the right order.

1. habitez-vous quand depuis ici?
2. et mois moi ma vivons six depuis soeur ici
3. trois frère mois seconde est depuis en mon
4. du je depuis cinq français fais ans
5. ans ici le vingt-cinq est collège depuis
6. hier chimie Colin depuis la comprend
7. et ans jouent deux Karim depuis rugby Mustapha au
8. est une français malade semaine professeur depuis notre de

22

DOS AND DON'TS
imperatives or commands

 **A vos marques!**

What is an imperative?

An imperative is a command, 'do' or 'don't', eg 'Eat your breakfast!', 'Don't feed the animals!'. It also includes suggestions such as 'let's': 'Let's go to the cinema'.

1 How to form the imperative

This is easy, except that you should remember that there are two words for 'you', *tu* and *vous*, and so there are two forms of the 'you' imperative.

a Tu

For *-er* verbs, you simply remove the *-s* from the *tu* form of the present tense and omit *tu*:

tu pousses	you push	*pousse!*	push!
tu tires	you pull	*tire!*	pull!

For other verbs, you simply use the *tu* form without *tu*:

tu choisis	you choose	*choisis!*	choose!
tu réponds	you answer	*réponds!*	answer!
tu bois	you drink	*bois!*	drink!

Exception: *tu vas* you go: *va!* go!, except in *vas-y!* go ahead, get on with it!

b *Vous*

You simply use the *vous* form of the present without *vous*:

vous poussez	you push	*poussez!*	push!
vous choisissez	you choose	*choisissez!*	choose!
vous répondez	you answer	*répondez!*	answer!
vous buvez	you drink	*buvez!*	drink!
vous allez	you go	*allez!*	go!
vous faites		*faites quelque*	
quelques chose	you do something	*chose!*	do something!

c 'Let's'

To say 'let's' do something, use the *nous* form of the present, without *nous*:

nous voyons	we see	*voyons!*	let's see!
nous allons	we go	*allons!*	let's go!

d Exceptions

Just three verbs don't behave according to this pattern:

		tu	*vous*	*nous*
être	be	*sois*	*soyez*	*soyons*
avoir	have	*aie*	*ayez*	*ayons*
savoir	know	*sache*	*sachez*	*sachons*

e Don't!, Don't let's! – making the command negative

Just wrap *ne . . . pas* round the verb, as usual:

ne pousse pas!	don't push!
ne répondez pas!	don't answer!
n'allons pas!	don't let's go!

e Do it, don't do it

Using the imperative with object pronouns. (To remind yourself about object pronouns, look at Chapters 8, 9 and 10).

■ Positive command: pronouns come on the end, joined with hyphens:

Envoyez-les-lui!	Send them to her!
Faites-le bien!	Do it well!
Donne-le-leur!	Give it to them!
Arrêtez-vous!	Stop!

Attention!

for 'me' and 'you' (familiar), use *moi* and *toi*, which come last:

Ecrivez-moi!	Write to me!
Montre-le-moi!	Show it to me!
Lève-toi!	Stand up!

■ Negative command: pronouns come before the verb, as in any other tense:

Ne les lui envoyez pas!	Don't send them to her!
Ne vous arrêtez-pas!	Don't stop!
Ne t'inquiète-pas	Don't worry!

f Other ways of expressing commands

■ The infinitive is often used in instructions:

Ne pas toucher!	Don't touch!
Ouvrir ici!	Open here!

■ To soften a command, and sound more polite, you can ask someone to do something, rather than telling them to, using *pourriez-vous?* 'could you?':

Pourriez-vous parler un peu plus lentement, s'il vous plaît?
Could you speak a little more slowly, please?

Prêts?

1 Le dressage du chien

Vous avez un jeune chien à la maison et vous lui enseignez des ordres simples. Que lui dites-vous?
You have a young dog at home and you are teaching him some simple orders. What do you say to him?

1. manger	2. boire	3. venir

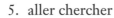

4. s'asseoir   5. aller chercher   6. prendre

7. ne pas bouger   8. ne pas tirer

2 Sophie entre au collège

Sophie a onze ans. Elle entre au collège. Le professeur principal donne les règles à respecter en classe. Faites correspondre les impératifs avec la fin de phrase qui convient.

Sophie is eleven. She's starting secondary school. The headteacher is giving the rules to be observed in class. Match up the commands with the rest of the sentence.

1. Demandez		a.	quand un professeur entre dans la classe
2. Ne buvez pas		b	à vos camarades lorsque le professeur parle
3. Ne mangez pas		c.	le doigt pour demander la parole
4. Attendez		d.	de coca pendant les cours
5. Levez-vous		e.	la fin du cours pour boire et manger
6. Participez		f.	de chewing-gum en classe
7. Ne parlez pas		g.	la permission si vous voulez sortir
8. Levez		h.	activement à la classe

3 Le départ en vacances

La famille Dupuis part en vacances. Ils préparent les bagages et se donnent des ordres les uns aux autres à la première personne du pluriel.

The Dupuis family is off on holiday. They are getting the luggage ready and giving each other orders in the 1st person plural.

Exemple: (Prendre) la crème solaire – Prenons la crème solaire!

1. (Aller) faire le plein d'essence!
2. (Ne pas oublier) les passeports!
3. (Prendre) de l'argent liquide!

4. (Passer) chez l'épicier pour acheter des fruits et des boissons pour la route!
5. (Ne pas boire) trop avant le départ!
6. (Mettre) le répondeur automatique en marche!
7. (Vérifier) que le garage est bien fermé!
8. (Fermer) la porte de la maison à clef!

 **Partez!**

4 A notre collège . . .

Préparez une liste des règles de votre collège pour un groupe de jeunes Français qui vont y passer quelques jours comme élèves. Utilisez la forme *vous*.
Prepare a list of your school's rules for a group of French youngsters who are going to spend a few days there as pupils. Use the *vous* form, as you are addressing the group.

Exemples: Portez l'uniforme! Ne courez pas dans les couloirs!

5 A l'auberge de jeunesse

Faites une liste de 10 règles d'une auberge de jeunesse ou d'un autre logement collectif pour jeunes. Utilisez la forme *tu*.
Make a list of 10 rules for a youth hostel or other collective hostel for young people. Use the *tu* form, as you are addressing each individual.

Exemples: Laisse l'évier propre après l'avoir utilisé! Fais ton lit!

6 Faisons quelque chose d'intéressant

Vous discutez avec vos copains et copines de la façon dont vous allez passer un jour des vacances scolaires. Faites des propositions, en utilisant la forme *-ons*.
You are discussing with your friends how you are going to spend a day of your school holidays. Make some proposals, using the *-ons* form.

Exemples:
Faisons une promenade à vélo! Allons au parc Astérix!

Vocabulaire

l'argent liquide	cash
demander la parole	to ask to speak
le répondeur automatique	answerphone

23

WHAT WILL HAPPEN?
the future tense

 **A vos marques!**

What is the future tense?
The future tells you what **will happen**, what you **will do** – in the future!

1 How to form the future
a Verb endings
The endings *-ai*, *-as*, *-a*, *-ons*, *-ez*, *-ont* are always the same, and for the majority of verbs you put them on the end of the **infinitive**. You drop the *-e* from the end of *-re* infinitives:

regarder	finir	vendre	
je regarderai	*je finirai*	*je vendrai*	I shall look/finish/sell
tu regarderas	*tu finiras*	*tu vendras*	you will ...
il/elle regardera	*il/elle finira*	*il/elle vendra*	s/he will ...
nous regarderons	*nous finirons*	*nous vendrons*	we will ...
vous regarderez	*vous finirez*	*vous vendrez*	you will ...
ils/elles regarderont	*ils/elles finiront*	*ils/elles vendront*	they will ...

 Conseil

Look how the future endings resemble the present tense of *avoir* – except for *avons* and *avez*, which lose the *av-*!

b Spelling changes in some *-er* verbs
-er verbs which have spelling changes in the present tense (see Chapter 20), also

145

have the same change in the stem of the future:

Infinitive		Present	Future
appeler	to call	*j'appelle*	*j'appellerai*
jeter	to throw	*je jette*	*je jetterai*
acheter	to buy	*j'achète*	*j'achèterai*
employer	to use	*j'emploie*	*j'emploierai* (not *envoyer* – see below)

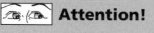 **Attention!**

Verbs of the *espérer* type do not have a spelling change in the future:

espérer	to hope	*j'espère*	*j'espérerai*

c Irregular verbs

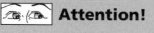 **Attention!**

Irregularities are always in the **stem**, never in the endings.

-er verbs: only

aller	to go	*j'**ir**ai*
envoyer	to send	*j'env**err**ai* (and *renvoyer* to send back)

-ir verbs:

courir	to run	*je cou**rr**ai*
mourir	to die	*je mou**rr**ai*
tenir	to hold	*je **tiendr**ai* (also *obtenir* to obtain, *retenir* to retain)
venir	to come	*je **viendr**ai* (also *devenir* to become, *revenir* to come back, *se souvenir* to remember)

-re verbs: only

être	to be	*je **ser**ai*
faire	to do/make	*je **fer**ai*

Conseil

Even though many otherwise irregular verbs have an infinitive in *-re*, they behave normally in the future.

-oir verbs:
This is a small group which you just have to learn:

s'asseoir	to sit down	*je m'ass**iér**ai*
avoir	to have	*j'**aur**ai*
devoir	to have to	*je de**vr**ai*
falloir	to be necessary	*il **faudr**a*
pleuvoir	to rain	*il pleu**vr**a*
pouvoir	to be able, can	*je **pourr**ai*
recevoir	to receive	*je re**cevr**ai*
savoir	to know	*je **saur**ai*
voir	to aww	*je ve**rr**ai*

Conseil

Have you noticed how the future stem **always ends in *-r***, whether the verb is regular or irregular?

2 How do you use the future?

a Saying what will happen

The main use is much as the future in English, to say what **will happen**:

> *Tu **finiras** tes devoirs tout de suite!*
> **You'll finish** your homework right now!
> *Nous **ne verrons pas** le château aujourd'hui.*
> We **won't see** the castle today.
> *Pendant ta visite, nous **irons à** Paris, nous **ferons** des promenades à vélo, tu **pourras** pratiquer ton français et nous nous **amuserons** bien.*
> During your visit, **we'll go** to Paris, **we'll do** some bike-rides, **you'll be able to** practise your French and **we'll have** a good time.

Attention!

Don't be tempted to use the future for expressions like 'Will you help me lay the table?' where the 'will' means 'are you willing to', not 'will you do it at some time in the future?'

> ***Tu veux m'aider*** *à mettre le couvert?*
> **Will you help me** to lay the table?

b After time expressions

You have to use the future after time expressions such as *quand* or *lorsque* (when), and *aussitôt que* (as soon as), when the action has not yet taken place:

> *Quand vous **arriverez** à Paris, vous retrouverez notre représentant.*
> When you **arrive** in Paris, you will meet our representative. (You haven't arrived yet!)
> *Aussitôt qu'il vous **verra**, il vous mènera à votre hôtel.*
> As soon as he **sees** you, he will take you to your hotel. (He hasn't seen you yet!)

👀 Attention!

> Be careful here, as the present tense is used in English, and the future in French!

3 Other ways of expressing the future

■ In French, as in English, you can say what **you are going to do** in the immediate future, by using *aller* + **the infinitive**:

> *Qu'est-ce que **tu vas faire** ce soir? **Je vais me laver** les cheveux!*
> **What are you going to do** this evening? **I'm going to wash** my hair!

■ You also use the present tense to talk about the immediate future (see also Chapter 20):

> *Qu'est-ce que **tu fais** ce soir? **Je me lave** les cheveux!*
> What **are you doing** this evening? **I'm washing** my hair!

 ## Prêts?

1 Quand j'aurai de l'argent

Avec votre correspondant(e) vous discutez de ce que vous ferez de votre argent quand vous aurez vos premiers salaires. Choisissez la forme du verbe qui convient dans la conversation.

With your penfriend you are discussing what you will do with your money when you get your first salary. Choose the correct form of the verb.

– Quand j'(aura aurons aurai) mon premier salaire, je (passerai passerez passeras) mon permis de conduire et je m'(achètera achèterai achèterez) une voiture. Avec mes copains et mes copines, nous (irons iront iras) sur la Côte d'Azur et nous nous (baigneront baignerez baignerons) sur les plages de Nice, Cannes et St Tropez. Et toi, qu'est-ce que tu (ferai fera feras) de ton premier salaire?
– Oh! Moi, je dois beaucoup d'argent à mes parents. Je leur (rendra rendrai rendras) ce que je leur dois. Ils (pourront pourrez pourrons) en faire ce qu'ils (voudrons voudras voudront): partir en vacances ou changer l'ordinateur!

2 Les 'cabotans d'Amiens'

Vous avez prévu de passer une semaine de vacances à Amiens, en Picardie, et vous en avez écrit les détails avec précision à l'ordinateur. Malheureusement votre ordinateur est devenu fou et il s'est trompé dans les terminaisons du futur. Corrigez ses fautes!

You envisage spending a week's holiday in Amiens in Picardie, and you have carefully typed the details into your computer. Unfortunately, the computer has gone mad and it has got the future endings all wrong! Put them right!

> Nous *logerez* à l'hôtel Carlton en face de la gare. Mes parents *visitera* le Musée de la Picardie et la Cathédrale. Moi je *partirez* à vélo avec mon copain au bord de la Somme. C'est très beau. Mes parents et moi, nous *iras* voir les spectacles à la Maison de la Culture et nous *monteront* en haut de la Tour Perret pour voir le paysage autour de la ville d'Amiens. Mais je *voudrons* surtout voir le théâtre de marionnettes 'Les cabotans d'Amiens'. Je *parleront* aux marionnettistes. Je leur *direz*: 'Vous *voudra* bien que je vienne voir vos répétitions? J'aime beaucoup vos marionnettes Lafleur et Tchot Blaise. Et puis, vous m'*apprendrai* un peu de 'picard': ça m'amuse!'

3 Une lettre d'invitation

Vous vous êtes lié(e) d'amitié avec un des marionnettistes de la troupe des 'Cabotans d'Amiens' et vous lui écrivez pour l'inviter en Grande-Bretagne. Mettez les verbes entre parenthèses au futur.

You have made friends with one of the puppet-masters of the 'Cabotans d'Amiens' troupe and you are writing to invite him to Britain. Put the verbs in brackets into the future.

> Cher Jean-Louis,
>
> Quand tu (venir) en Grande Bretagne, tu (pouvoir) visiter ma ville. Nous
> (aller) voir d'autres spectacles de marionnettes, puisque tu aimes ça.
> Tu (amener) deux de tes marionnettes si tu peux, et nous les (montrer)
> ici. Tu (voir), tout le monde (dire) qu'elles sont très belles. Il (falloir)
> amener un imperméable parce qu'il pleut souvent ici. Mes parents (être)
> très contents de te recevoir. Ma mère (cuisiner) des spécialités
> britanniques pour toi et tu (devoir) goûter à tout. Mais quelquefois,
> nous (acheter) des 'fish'n'chips' et nous (partir) nous promener.

4 Que va-t-on faire?

Quand vous aurez complété les exercices 2 et 3, regardez-les encore une fois et
répondez à ces questions, en utilisant *aller* avec l'infinitif.

When you have completed exercises 2 and 3, look at them again and answer these
questions using *aller* and the infinitive.

Exemple:

Où allez-vous loger? Nous allons loger à l'hôtel Carlton.

1. Qu'est-ce que vous allez faire pendant que vos parents visitent la Cathédrale?
2. Où allez-vous monter, vous et vos parents?
3. A qui allez-vous parler?
4. Qu'est-ce que vous allez apprendre?
5. Qui va venir en Grande Bretagne?
6. Qu'est-ce qu'il va amener?
7. Que va faire ta mère?
8. Qu'est-ce que vous allez acheter de très typique?

Partez!

5 Au futur

a. Commencez au mois où nous sommes et faites une prédiction pour chacun des
12 mois prochains.

Beginning with the month we are in now, make a prediction for each of the next
12 months.

Exemples:

Ce mois je me préparerai pour mes examens.

En juin je passerai mes examens.

En juillet . . .

b. Maintenant essayez de prévoir votre vie et celle de vos amis pour les dix prochains ans.

Now try to predict your life and that of your friends for the next ten years.

Exemples:

En 1999 nous entrerons au 'Sixth Form'.

En 2001 Martin(e) commencera sa formation professionnelle.

6 *Vos premiers salaires*

Utilisez l'exercice 1 comme base pour dire ce que vous ferez de vos premiers salaires.

Use exercise 1 as a basis to describe what you will do with your first salary.

7 *Une situation*

Un élève décrit une situation et les autres disent ce qu'ils/elles vont faire dans cette situation.

Pair work. One pupil describes a situation and the others say what they are going to do about it.

Exemples:

– Je vois un incendie. – Je vais téléphoner aux sapeurs-pompiers.

– Nous avons froid. – Nous allons chercher/mettre nos pulls.

Vocabulaire

le cabotan (picard for *cabotin)*	puppets
***passer** un examen*	to **take** an exam
la Picardie	Picardy (the area of France east of Normandy, between Paris and the Channel coast)
le picard	the Picardy dialect
la répétition	rehearsal

24

WHAT WOULD HAPPEN?
the conditional tense

 **A vos marques!**

What is the conditional?
The conditional tells you mainly what **would happen**, what you **would do** – under certain conditions, hence its name!

1 How do you form the conditional?
The endings are *-ais*, *-ais*, *-ait*, *-ions*, *-iez*, *-aient*. You put them on the end of the infinitive.

regarder	finir	vendre	
je regarderais	*je finirais*	*je vendrais*	I would look/ finish/sell
tu regarderais	*tu finirais*	*tu vendrais*	you would . . .
il/elle regarderait	*il/elle finirait*	*il/elle vendrait*	he/she would . . .
nous regarderions	*nous finirions*	*nous vendrions*	we would . . .
vous regarderiez	*vous finiriez*	*vous vendriez*	you would . . .
ils/elles regarderaient	*ils/elles finiraient*	*ils/elles vendraient*	they would . . .

Or you put them on the future stem as set out in Chapter 23. Here are just a few examples, for the full list turn back to pages 146–7.

aller	to go	*j'irais*	I would go
venir	to come	*je viendrais*	I would come
pouvoir	to be able	*je pourrais*	I would be able, I could
être	to be	*je serais*	I would be
avoir	to have	*j'aurais*	I would have

Attention!

> These endings are the same as the imperfect – **but** for the imperfect you remove the infinitive ending, for the conditional you leave the infinitive complete (less -*e* for -*re* verbs) or use the future stem ending in -*r*. So, just like the future, **the stem always ends in -*r*-.**

2 How do you use the conditional?

■ Mainly to say what **would happen**, what you **would do**:

Je gagnerais beaucoup d'argent.   **I would earn** a lot of money.
Nous irions au bord de la mer.   **We would go** to the seaside.

It is often used in combination with *si* + the imperfect to express a condition 'if . . .':

Si j'avais assez d'argent **je partirais** *en vacances en Italie.*

imperfect   conditional

If I had enough money I would go off on holiday to Italy

Si nous écoutions notre prof, **nous apprendrions** *beaucoup de français!*

imperfect   conditional

If we listened to our teacher, we'd learn a lot of French!

Attention!

> 1. Beware of trying to use the conditional for the French equivalent of 'In the evenings **we would go** for a walk', when this simply indicates what you **used to do.** You should use the imperfect here: *Le soir* **nous faisions** *des promenades.*
>
> 2. When somebody/something 'would or wouldn't do something', this indicates willingness, and you should use the imperfect of *vouloir*: *Luc* **ne voulait pas** *se lever.* Luc **wouldn't** get up.

■ The conditionals of *pouvoir* and *vouloir* are particularly useful, to soften a command or request:

Pourriez-vous fermer la porte, s'il vous plaît?
Could you shut the door please?

Je voudrais encore du potage, s'il vous plaît.
I'd like some more soup, please.

See also *devoir*, Chapter 32, used in the conditional for 'ought to'.

■ The conditional is used in reported speech, after verbs such as *dire*, *répondre*, etc.

Jacques a répondu **qu'il ne serait pas** *chez lui ce soir-là.*
Jacques replied that **he wouldn't** be at home that evening.

 # Prêts?

1 Jamais content!

Clément est un jeune garcon qui n'est jamais content. Il rêve d'une vie différente.
Dans ce qu'il dit à sa mère, vous trouverez la forme convenable du verbe au
conditionnel.

Clément is a young boy who is never content. He dreams of a different life. In what
he says to his mum, find the right form of the conditional.

1. Maman! Si nous habitions dans les Alpes, je (pourrait   pourraient   pourrais)
   skier plus souvent!
2. Si nous avions un chien, je ne (serais   serait   seraient) pas si seul!
3. Maman! Si tu travaillais, tu (aurais   aurions   auriez) plus d'argent et nous
   (achèterions   achèteriez   achèterait) un plus grand appartement!
4. Si papa et toi, vous aviez vos vacances en même temps, vous m'(emmènerions
   emmèneraient   emmèneriez) à Biarritz pendant un mois!
5. Si papy et mamy étaient plus jeunes, ils (viendront   viendraient   viendrait) en
   vacances avec nous!
6. Si la voiture n'était pas si vieille, elle (roulerait   roulera   rouleraient) plus vite!

2 Ah! Si j'étais à Biarritz!

C'est l'hiver. Il fait très froid. Vous faites un échange scolaire à Doullens, une petite
ville de Picardie, et vous entendez à la météo qu'il fait vingt degrés à Biarritz dans le
sud-ouest. Dites ce que vous feriez si vous étiez là, en mettant les verbes entre
parenthèses au conditionnel.

It's winter and it's very cold. You are on a school exchange in Doullens, a small
town in Picardy and you hear on the weather forecast that it's 20° in Biarritz in the
southwest. Say what you would do there, putting the verbs in brackets into the
conditional.

Ah! Si j'étais à Biarritz, je (prendre) le soleil. Je (voir) la Côte Sauvage. Je (manger) des fruits de mer. Avec mon correspondant/ma correspondante, nous nous (baigner) peut-être et nous nous (promener) sur la plage. Nous (pouvoir) aussi surfer sur les vagues. Je (faire) un tas de photos. Le bus de l'école nous (amener) peut-être jusqu'aux Pyrénées ou à la frontière espagnole. Il (faire) chaud! Je (être) ravi(e). Mais me voici à Doullens et j'ai très froid. Brrrrrrr!

H *3 Respectez les consignes!*

a. Vous voyez des personnes qui ne respectent pas ces panneaux. Que leur diriez-vous? Utilisez la forme polie, *pourriez-vous/pourrais-tu* ou *voudriez-vous/voudrais-tu* selon les circonstances.

You see people ignoring the signs. What would you say to them? Ask them politely not to ignore the notice, using *pourriez-vous/pourrais-tu* or *voudriez-vous/voudrais-tu* – whichever is most suitable.

Exemple: Voudriez-vous ne pas pique-niquer ici, s'il vous plaît?

b. Et vous, que feriez-vous dans chacune des situations illustrées dans (a)?
And what would you do in each of the situations depicted in (a)?

Exemple:
Naturellement, je ne pique-niquerais pas!

Partez!

4 Travail par deux
L'un imagine une situation, et l'autre dit ce qu'il/elle ferait ou ce que vous feriez tous les deux.
Pairwork. One of you imagines a situation, and the other says what he/she or both of you would do.

Exemples:
– Tu t'es déchiré le jean.
  J'irais changer de pantalon.
– Le professeur est tombé dans la salle de classe.
  Nous l'aiderions à se lever.

5 Il ne le ferait pas! Elle ne le ferait pas!
Imaginez l'élève modèle, et dites ce qu'il/elle ne ferait pas!
Imagine the model pupil and say what he/she would not do!

Exemples:
Il/elle ne bavarderait pas en classe.
Il/elle ne taquinerait pas le prof!

(Vous pourriez employer aussi *manger*, *boire*, *jouer*, *hurler*, *se battre*, *tricher*, et d'autres verbes.)

6 Voudriez-vous le faire, s'il vous plaît!
Dites (poliment!) à vos parents, vos frères et soeurs ou vos professeurs ce que vous voudriez qu'ils fassent ou ne fassent pas.
Tell your parents, brothers, sisters or teachers (politely!) what you would like them to do or not do.

Exemples:
– Sacha, pourrais-tu frapper avant d'entrer dans ma chambre?
– Maman, voudrais-tu m'apporter le petit déjeuner au lit?

Vocabulaire

se battre	to fight
les consignes (f)	(here) instructions
hurler	to shout, yell
mamy	Grandma
papy	Grandad
seul	alone
un tas de	heaps of, a lot of
tricher	to cheat
la vague	wave

25

WHAT YOU WERE DOING OR
WHAT YOU USED TO DO
the imperfect tense

 **A vos marques!**

What is the imperfect?

This is a past tense, which is used to describe what used to happen or what was
going on at some point in the past. It is called 'imperfect' because we are not
concerned whether the activity it describes finished or not. If you say 'when I lived
in Marseille I used to go to school in the suburbs', we are not interested in when
you stopped doing it. 'When you phoned I was having a shower' – we're only
concerned with what you were doing (showering) at that moment: we're not
interested in what happened when you finished!

1 How do you form the imperfect?

The imperfect endings are -*ais*, -*ais*, -*ait*, -*ions*, -*iez*, -*aient*, and are added to the 1st
person plural (*nous*) form of the present, after you remove the -*ons*. This applies
equally to regular and irregular verbs:

	regarder to look	*finir* to finish	*vendre* to sell	
nous	**regard**ons	**finiss**ons	**vend**ons	
Imperfect:				
je	regard**ais**	finiss**ais**	vend**ais**	I was looking/finishing/selling I used to look/finish/sell
tu	regard**ais**	finiss**ais**	vend**ais**	you were . . . you used to . . .

il/elle	regard**ait**	finiss**ait**	vend**ait**	he/she was looking, etc. he/she used to look, etc.
nous	regard**ions**	finiss**ions**	vend**ions**	we were . . . we used to . . .
vous	regard**iez**	finiss**iez**	vend**iez**	we were . . . we used to . . .
ils/elles	regard**aient**	finiss**aient**	vend**aient**	they were . . . they used to . . .

Conseil!

You need to know the *nous* form of the present of your irregular verbs!
Here are some examples of some common ones:

	boire to drink	*dire* to say/tell	*écrire* to write	*ouvrir* to open
nous	**buv**ons	**dis**ons	**écriv**ons	**ouvr**ons
Imperfect:				
	je **buv**ais	*je* **dis**ais	*j'***écriv**ais	*j'***ouvr**ais
	tu **buv**ais	*tu* **dis**ais	*tu* **écriv**ais	*tu* **ouvr**ais etc
was/were	drinking	saying/telling	writing	opening
used to	drink	say/tell	write	open

The other irregular verbs you really need to know for GCSE are:

aller	to go	*j'***all**ais
avoir	to have	*j'***av**ais
conduire	to drive	*je* **conduis**ais
croire	to believe	*je* **croy**ais
connaître	to know	*je* **connaiss**ais
coudre	to sew	*je* **cous**ais
devoir	to have to	*je* **dev**ais
être	to be	*j'***ét**ais*
faire	to do, make	*je* **fais**ais
falloir (il faut)	to be necessary	*il* **fall**ait
lire	to read	*je* **lis**ais
mettre	to put	*je* **mett**ais

ouvrir	to open	*j'ouvrais (couvrir, offrir, souffrir)*
pleuvoir	to rain	*il pleuvait*
prendre	to take	*je prenais*
recevoir	to receive	*je recevais*
rire	to laugh	*je riais*
savoir	to know	*je savais*
sortir	to go out	*je sortais (dormir, partir, sentir, servir)*
suivre	to follow	*je suivais*
voir	to see	*je voyais*
vouloir	to want	*je voulais*

* Only *être* is totally irregular: *j'étais*, etc.

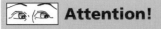 **Attention!**

-er verbs ending in *-ger*, *-cer*, like *manger*, *lancer*, are spelt *-ge-* or *-ç-* before the endings *-ais*, *-ait*, *aient*: *je/tu mangeais*, *il mangeait*, *ils mangeaient*, *je/tu lançais*, *il lançait*, *ils lançaient*

2 How do you use the imperfect?

The imperfect has three main uses:

■ To say what **was happening**, what you **were doing** at some time in the past:

Qu'est-ce tu faisais?	What **were you doing**?
Je prenais une douche!	I **was having** a shower!
Je regardais le tennis à la télé.	I **was watching** the tennis on TV.

The imperfect is often used in this way to describe **what was going on** when something else happened (in the **perfect**):

Qu'est-ce tu faisais quand je t'ai téléphoné hier soir?

      imperfect   perfect

What **were you doing** when I phoned you last night?

Quand tu m'as téléphoné hier soir je regardais le tennis à la télé.

      perfect   imperfect

When **you phoned me** last night I **was watching** the tennis on TV.

■ To say what **used to happen**, such as habitual or repeated actions:

*Quand nous **allions** à l'école primaire, nous **sortions** à seize heures trente.*
When **we went** (= **used to go**) to primary school, **we came out** (=**used to come out**) at 4.30 p.m.

It is often used together with such time expressions/adverbs as *de temps en temps* (from time to time), *souvent* (often), *tous les jours* (every day), which help to emphasise the fact that the activity was repeated:

*Nous **entrions** souvent dans le magasin en face de l'école où nous **achetions** des bonbons.*
We often **went** into the shop opposite the school and **bought** some sweets.
*De temps en temps l'institutrice me **punissait** parce que je **mangeais** ces bonbons en classe.*
From time to time the teacher **punished** me because I **ate** those sweets in class.

■ To describe how a situation or state of affairs was in the past:

*Annette **ne voulait pas** sortir avec Martin parce qu'elle **ne l'aimait pas**.*
Annette **didn't want** to go out with Martin because she **didn't like** him.
*Selon ma grand'mère la vie **était** beaucoup plus simple quand elle **était** jeune il y a cinquante ans.*
According to my grandmother life **was** much simpler when she **was** young 50 years ago.

Prêts?

1 Un petit déjeuner mouvementé
Chantal Leroy raconte à ses copines ce qui s'est passé chez elle pendant que sa famille et elle prenaient le petit déjeuner. Choisissez la forme correcte de l'imparfait.
Chantal Leroy is telling her friends what happened at her house while she and her family were having breakfast. Choose the correct form of the imperfect.

1. Pendant que maman (faisiez   faisais   faisait) le café, le téléphone a sonné.
2. Pendant que mes frères (mettait   mettaient   mettions) la table, ils ont cassé une tasse.
3. Quand ma grand'mère (descendais   descendaient   descendait) l'escalier, elle est tombée.

4. Pendant que j'(aidais aidait aidiez) ma grand'mère à se lever, le facteur est arrivé.

5. Pendant que nous (buviez buvions buvais) notre café, le chien a volé le poulet que mon père (prépariez préparaient préparait) pour le déjeuner.

6. Et chez vous, Florence et Edouard, qu'est-ce qui s'est passé pendant que vous (prenais prenions preniez) votre petit déjeuner?

2 Au salon de coiffure

Jojo Détecto, détective privé, est entré au salon de coiffure de Mireille, car elle est accusée d'un vol. Voici ce qu'il raconte à son patron quand il rentre au bureau. Mettez les verbes à l'imparfait.

Jojo Détecto, a private detective, goes into Mireille's hairdressing salon, as she is suspected of a theft. This is what he tells his boss when he gets back to the office. Put the verbs into the imperfect.

1. Quand je suis entré, Mireille (couper) les cheveux d'un client.
2. Son employée (laver) les cheveux d'un autre client.
3. Une deuxième employée (faire) un brushing à une dame.
4. Deux dames (parler) en attendant leur tour.
5. Un enfant (manger) des caramels et (lancer) des papiers dans le salon.
6. Et un monsieur (lire) un magazine pendant qu'il (attendre) son tour.

3 Un voyage en Eurostar

Benjamin et Clément sont allés en Angleterre pour la première fois et ils ont pris le train Eurostar. Benjamin a écrit ses impressions à un camarade en France. Complétez ce qu'il a écrit à l'aide des verbes contenus dans la case.

Benjamin et Clément have been to England for the first time by Eurostar train. Benjamin has written his impressions to a friend in France. Complete his letter with the help of the verbs in the box.

> Quand le train est sorti du tunnel sous la Manche, il .... beau temps et le soleil .... On a annoncé dans le train qu'il .... seize heures cinq – une heure de moins qu'en France. Pendant que je .... par la fenêtre du train, j'ai vu les voitures et les camions sur l'autoroute M20, et vraiment ils .... à gauche! Quelques personnes dans le train .... le journal, des enfants .... avec leur mère, un monsieur .... Clément et moi, nous .... de lire les noms des gares, mais le train .... trop vite. Après une heure les maisons ont commencé à devenir plus nombreuses: nous nous .... de Londres. Encore une demi-heure et nous .... dans la gare de Waterloo, où nos correspondants anglais, Kevin et Daniel nous ....

dormait	entrions	brillait	lisaient	approchions	essayions	regardais
faisait	roulaient	était	attendaient	jouaient	allait	

4 Il y a cent ans

Vous racontez comment vivaient les gens il y a cent ans. Mettez les verbes à l'imparfait.

You are relating how people lived 100 years ago. Put the verbs into the imperfect, making sure you use the right endings!

1. Les gens (être) plus pauvres que maintenant.
2. Beaucoup de personnes (vivre) à la campagne.
3. Elles (cultiver) la terre . . .
4. . . . et (manger) leurs fruits et légumes.
5. On (envoyer) les enfants à l'usine pour travailler.
6. On (utiliser) les chevaux pour travailler et pour voyager.
7. Il n'y (avoir) pas d'avions.
8. Les gens n'(aller) pas beaucoup à l'étranger.
9. Il (falloir) prendre le bateau pour aller en France.
10. Naturellement, je n'(être) pas là: j'ai vu tout ça à la télévision!

Partez!

5 Samedi dernier, à midi

Chaque élève doit raconter ce qu'il/elle faisait samedi dernier à midi.

Each member of the class or group says what he or she was doing at midday last Saturday.

Exemples:
Moi, je faisais mes devoirs.
Moi, j'étais chez ma grand'mère.
Moi, je faisais des courses en ville.

6 Dans mon école primaire

Avec un copain/une copine de classe, posez-vous des questions l'un à l'autre sur la vie dans votre école primaire.

With a partner, ask each other questions about life in your primary school:

Exemples: Quelles matières étudiais-tu? Quelles matières aimais-tu le plus? Qui étaient tes profs, et comment étaient-ils? À quelle heure est-ce que tu entrais et sortais? Prenais-tu le déjeuner au collège ou est-ce que tu rentrais à la maison? Comment allais-tu au collège? Est-ce que tu travaillais mieux ou pas si bien que maintenant?

Continuez tous les deux à poser d'autres questions.

H 7 *Il y a cinquante ans*

Imaginez que votre ville est jumelée avec une ville en France. De temps en temps, vous échangez un bulletin de renseignements sur vos villes. Comme vous savez écrire le français, on vous a demandé d'écrire une courte description (100–150 mots) de votre ville il y a 50 ans.

Imagine that your town is twinned with a town in France. From time to time you exchange an information sheet about your towns. As you know French, they have asked you to write a brief description (100–150 words) of your town 50 years ago.

Comment étaient les gens? Que faisaient-ils? Où travaillaient-ils? Comment étaient les rues, les maisons, les bâtiments, etc? Est-ce qu'il y avait beaucoup de circulation? des supermarchés? Qu'est-ce qu'il n'y avait pas?

Il y a 50 ans

Maintenant

Vocabulaire

le caramel	toffee
le singe	monkey

26

WHAT YOU HAVE DONE, WHAT YOU DID
the perfect tense: *avoir* verbs

 **A vos marques!**

What is the perfect tense?

The perfect tense is a **past** tense that tells you what **has happened**, what you **have done** in the recent past, or what **happened** – what you **did** at a point in the past.

1 How do you form the perfect?

The perfect is a 'compound' tense, ie it consists of **two** words, the **auxiliary verb** and the **past participle**.

The 'auxiliary verb' is usually *avoir* 'to have'.

a Regular verbs

The past participle and perfect tense of regular verbs are formed as follows:

-er verbs: *regarder* to look → *regardé* → *j'ai regardé*:

j'ai regardé	I have looked	I looked
tu as regardé	you have looked	you looked
il/elle a regardé	he/she has looked	he/she looked
nous avons regardé	we have looked	we looked
vous avez regardé	you have looked	you looked
ils/elles ont regardé	they have looked	they looked

-ir verbs: *finir* to finish → *fin**i*** → *j'ai fini*

j'ai fini	I have finished	I finished
tu as fini	you have finished	you finished
il/elle a fini	he/she has finished	he/she finished
nous avons fini	we have finished	we finished
vous avez fini	you have finished	you finished
ils/elles ont fini	they have finished	they finished

-re verbs: *vendre* to sell → *vend**u*** → *j'ai vendu*

j'ai vendu	I have sold	I sold
tu as vendu	you have sold	you sold
il/elle a vendu	he/she has sold	he/she sold
nous avons vendu	we have sold	we sold
vous avez vendu	you have sold	you sold
ils/elles ont vendu	they have sold	they sold

Examples of some other regular verbs in the perfect:

***Nous avons commandé** trois cafés.*	**We've ordered** three coffees.
*Hier notre équipe **a gagné**.*	Our team **won** yesterday.
*Qu'est-ce que **tu as choisi**?*	What **have you chosen?**
	What **did you choose**?
***Ta mère**, qu'est-ce qu'elle **a répondu**?*	What **did your mother answer**?

b Irregular verbs
There are quite a lot of irregular past participles. To make it easier for you to learn them, we have broken the list down according to their endings:

Ending in -*é*:

être	to be	*j'ai ét**é***	I have been	I was

Ending in -*u*:

courir	to run	*j'ai cour**u***	I have run	I ran
avoir	to have	*j'ai **eu***	I have had	I had
boire	to drink	*j'ai **bu***	I have drunk	I drank
connaître	to know	*j'ai conn**u***	I have known	I knew
reconnaître	to recognize	*j'ai reconn**u***	I have recognized	I recognized
coudre	to sew	*j'ai cou**su***	I have sewn	I sewed
croire	to believe	*j'ai cr**u***	I have believed	I believed
devoir	to have to	*j'ai d**û***	I have had to	I had to

166

falloir	to be necessary	*il a fallu*	it has been necessary	it was necessary
lire	to read	*j'ai lu*	I have read	I read
pleuvoir	to rain	*il a plu*	it has rained	it rained
pouvoir	to be able/can	*j'ai pu*	I have been able	I was able/could
recevoir	to receive	*j'ai reçu*	I have received	I received
savoir	to know	*j'ai su*	I have known	I knew
voir	to see	*j'ai vu*	I have seen	I saw
vouloir	to want	*j'ai voulu*	I have wanted	I wanted

Ending in -*i*:

rire	to laugh	*j'ai ri*	I have laughed	I laughed
sourire	to smile	*j'ai souri*	I have smiled	I smiled

Ending in -*is*:

mettre	to put	*j'ai mis*	I have put	I put
promettre	to promise	*j'ai promis*	I have promised	I promised
prendre	to take	*j'ai pris*	I have taken	I took
apprendre	to learn	*j'ai appris*	I have learnt	I learnt

Ending in -*t*:

dire	to say/tell	*j'ai dit*	I have said/told	I said/told
écrire	to write	*j'ai écrit*	I have written	I wrote
faire	to do/make	*j'ai fait*	I have done/made	I did/made
conduire	to drive	*j'ai conduit*	I have driven	I drove
traduire	to translate	*j'ai traduit*	I have translated	I translated
couvrir	to cover	*j'ai couvert*	I have covered	I covered
ouvrir	to open	*j'ai ouvert*	I have opened	I opened
découvrir	to discover	*j'ai découvert*	I have discovered	I discovered
éteindre	to put out	*j'ai éteint*	I have put out	I put out
peindre	to paint	*j'ai peint*	I have painted	I painted

c Asking questions: have you . . . ? did you . . . ?

You turn the auxiliary verb round, and the past participle comes last, as usual:

***As-tu** écrit à ta tante?*	**Have you** written to your aunt?
***Avez-vous** acheté des cartes postales?*	**Did you** buy some postcards?

When you use *est-ce que?* the verb stays the right way round, of course (see Chapter 16 on interrogatives):

*Est-ce que **vous avez** acheté des cartes postales?*	Have you bought some postcards?

d Making the perfect negative: I haven't, I didn't

You wrap *ne . . . pas* around the auxiliary verb, so the past participle comes last:

Je n'ai pas écrit à ma tante.	I **haven't** written to my aunt.
Nous n'avons pas acheté de cartes postales.	We **didn't** buy any postcards.

For other negative words with the perfect, please see Chapter 38.

e Object pronouns with the perfect

These come before the auxiliary verb and are used in the usual way (see also p. 183):

Où est-ce que vous m'avez vu?	Where did you see **me**?
Nous le lui avons envoyé.	We have sent **it to him**.

> **Attention!**
>
> The auxiliary can sometimes be separated from the past participle by an adverb:
>
> | | |
> |---|---|
> | *Nous avons déjà vu ce film.* | **We've already seen** that film. |
> | *Paulette n'a pas encore reçu le paquet.* | Paulette **hasn't yet received** the parcel. |

2 How is the perfect used?

- As the literal equivalent of the English perfect: you use it to say what **has happened**, what you **have done**:

  Maman a fait un gâteau pour demain.
  Mum **has made** a cake for tomorrow.
  Nous n'avons pas encore pris notre café.
  We **haven't yet had** our coffee.

- As the usual equivalent of the English simple past to say what **happened**, what you **did**.

  Maman a fait un gâteau hier.
  Mum **made** a cake yesterday.

*Nous **avons reçu** le paquet la semaine dernière.*
We **received** the parcel last week.

■ See the next Chapter (27) for a note on past participle agreements.

Prêts?

1 Qu'est-ce ils ont vu en Grande Bretagne?

On interviewe des jeunes français, qui visitent la Grande Bretagne, et qui décrivent ce qu'ils y ont vu. Complétez les phrases, en choisissant dans la case la forme correcte d'*avoir*!

Some French youngsters, visiting Britain, are being interviewed and are describing what they have seen. Complete the sentences, choosing the correct form of *avoir* from the box.

1. A Bristol, tous les jeunes . . . vu le Pont Suspendu.
2. A Oxford, Jérémie . . . vu les collèges de l'Université.
3. – A Edimbourg, moi, j' . . . vu le château et le 'Tattoo', dit Frédéric.
4. – Et nous, à Blackpool, nous . . . vu la Tour, répondent Sylvie et Véronique.
5. A Londres, Myriam . . . vu le Palais de Buckingham.
6. Et toi, Edouard, qu'est-ce que tu . . . vu à Brighton?
7. Et vous, Céline et Pamela, . . . -vous vu les falaises blanches quand vous êtes arrivées à Douvres?

ai	as	a	avons	avez	ont

2 Participes mélangés

Combien de participes passés trouvez-vous? Il y en a des horizontaux, des verticaux et des diagonaux. Pouvez-vous en trouver vingt? Après les avoir trouvés, faites une liste des verbes correspondants à l'infinitif.

How many past participles can you find, across, down and diagonally? Can you find twenty? After you have found them, make a list of their infinitives.

V	F	F	P	R	I	S	V	E
E	A	É	I	Q	T	D	P	U
N	I	T	S	N	B	I	O	J
D	T	É	C	R	I	T	U	K
U	C	Z	L	R	L	D	V	P
A	H	H	M	B	U	W	E	C
M	O	K	A	F	R	Y	R	O
O	I	V	N	B	I	E	T	N
S	S	S	G	T	P	V	Ç	N
Q	I	R	É	P	O	N	D	U

3 Une visite dans le Marquenterre

Le Marquenterre est une réserve naturelle d'oiseaux située près de l'estuaire de la Somme. Mark le visite avec la famille de son correspondant Nicolas, et de retour en Grande Bretagne, il raconte à son professeur de français ce qu'il a vu. Mettez les verbes au passé composé.

Le Marquenterre is a bird reserve situated near the estuary of the River Somme. Mark visits it with his penfriend Nicolas's family and back in Britain he tells his French teacher about it. Put the verbs into the perfect.

C'était formidable! J' (voir) des milliers d'oiseaux. J'(reconnaître) les oies, les canards, les hérons, les mouettes. Nous (marcher) pendant trois heures dans les dunes et nous (observer) tous ces oiseaux. Le père de Nicolas (indiquer) dix sortes d'oiseaux différents, et il (prendre) des photos. Il (faire) beau temps! Avec Nicolas nous (courir) dans les dunes, mais sa mère nous (dire) de ne pas courir, alors nous (promettre) de ne plus le faire. Le soir, j' (ouvrir) mon dictionnaire et j' (traduire) les noms des oiseaux que je ne connaissais pas.

4 Un pique-nique raté

Votre correspondant(e) vous décrit un pique-nique un peu désastreux qu'il/elle a fait avec ses camarades. Malheureusement les participes passés ont été effacés par la pluie! Réécrivez sa lettre, en remettant les participes passés, que vous retrouverez dans la casc.

Your penfriend is describing a somewhat disastrous picnic he/she had with his/her mates. Unfortunately the past participles got washed out by the rain. Rewrite his/her letter, putting back the past participles, which you will find in the box.

> Hier, j'ai ⬛ un pique-nique avec mes Camarades de classe. Jái ⬛ des chips et du poulet à cuire au barbecue. Marion a ⬛ une Salade Composée. Arrivés sur le lieu du pique-nique, nous avons ⬛ du papier et du bois et nous avons ⬛ le barbecue. Puis nous avons ⬛ le poulet à cuire et nous avons ⬛ du Coca. ALors, j'ai ⬛ un grand bruit. Mes Camarades et moi, nous avons ⬛ que c'était un avion mais non! c'était l'orage! il a beaucoup ⬛ et le poulet n'a pas ⬛. Alors nous avons ⬛ le feu, et il a ⬛ tout ranger et rentrer à La maison.

> grillé   fait   entendu   plu   acheté   éteint   préparé
> Cherché   allumé   bu   fallu   mis   cru

Partez!

5 Hier

En prenant huit verbes choisis parmi ceux de la case ci-dessous, écrivez dans votre journal intime huit choses que vous avez faites hier.

Choosing eight verbs from the box below, write in your diary eight things you did yesterday.

manger	travailler	acheter	choisir	finir	perdre	vendre	cuisiner
	jouer	préparer	gagner	nettoyer			

6 *Qu'est-ce que tu as fait?*

En utilisant seulement les participes passés irreguliers du section 1b de la section *A vos marques!*, faites des phrases pour décrire ce que vous et votre famille avez fait le week-end dernier.

Using only irregular past participles from section 1b of the *A vos marques!* section, make up some sentences to describe what you did last weekend.

Exemples:

Moi, j'ai reçu une carte postale de mon amie suisse.

Mon père a peint le salon.

H 7 *Il a beaucoup voyagé*

Travail par deux, ou pour la classe entière. Un ami français de votre famille, artiste, a beaucoup voyagé. Vous lui posez des questions sur l'endroit où il a été, ce qu'il a vu, fait, mangé, bu, dessiné, peint, etc. Votre camarade de classe ou les autres élèves y répondent.

Pair or whole-class work. A French friend of your family, an artist, has travelled a great deal. You ask him questions about where he has been, what he has seen, done, eaten, drunk, drawn, painted, etc. Your partner or the other members of the class reply.

Exemples:

– Quels pays avez-vous visités? – J'ai visité beaucoup de pays, au moins vingt.

– Qu'est-ce que vous avez vu à Sydney? – J'ai vu le Pont sur le Port et l'Opéra.

– Qu'est-ce que vous avez dessiné en Italie? – J'ai dessiné la Tour Penchée de Pise.

Vocabulaire

la falaise	cliff
indiquer	to point out
des milliers de	thousands of
la mouette	seagull
le pont suspendu	suspension bridge

27

WHAT YOU HAVE DONE, WHAT YOU DID
the perfect tense with *être* verbs

 **A vos marques!**

The perfect tense of these verbs is used in the same way as the *avoir* verbs in the last chapter, but it is formed somewhat differently. There are two groups of *être* verbs.

1 Verbs of motion

■ There is a small group of verbs which use *être* as their auxiliary instead of *avoir*. These are mainly verbs of motion. It may help you to remember them to learn them as pairs of opposites, reading ADVENT down the first letters of the first column:

Arriver	to arrive	*partir*	to leave
Descendre	to go down	*monter*	to go up
*Venir**	to come	*aller*	to go
Entrer	to enter, go in	*sortir*	to go out
*Naître**	to be born	*mourir**	to die
Tomber	to fall	*rester*	to stay, remain

Also: *passer* (to pass (by), go by); *retourner* (to return), and compounds of (ie verbs based on) the above verbs: *devenir* (to become); *revenir* (to come back, return); *rentrer* (to come back, to go/come home).

* Irregular past participles:

venir	*ven**u***
naître	*n**é***
mourir	*m**ort***

Vive la Grammaire!

■ Formation of the perfect and agreement of the past participle:

With these verbs you have to make the past participle agree with the person or thing that is doing the action, ie the subject:

arriver   to arrive

masculine subject	feminine subject	
je suis arrivé	*je suis arrivée*	I (have) arrived
tu es arrivé	*tu es arrivée*	you (have) arrived
il est arrivé	*elle est arrivée*	he/she/it (has) arrived
nous sommes arrivés	*nous sommes arrivées*	we (have) arrived
*vous êtes arrivés**	*vous êtes arrivées**	you (have) arrived
ils sont arrivés	*elles sont arrivées*	they (m)/(f) (have) arrived

*If *vous* is used talking to one person only, singular agreements are used:

vous êtes arrivé   *vous êtes arrivée*   you (have) arrived

If 'we', 'you' or 'they' is a mixture of masculine and feminine, the agreement is always masculine.

Les filles et les garçons anglais *sont arrivés ce matin.*	The English girls and boys arrived this morning.
Suzanne est tombée de son vélo.	Suzanne fell off her bike.
Mes parents sont restés en Angleterre.	My parents stayed in England.
Yvette, à quelle heure es-tu partie?	Yvette, at what time did you leave?
'Je suis née en 1985' a écrit Jeanne.	'I was born in 1985', wrote Jeanne.

👀 Attention!

When *descendre*, *monter*, *passer* and *sortir* mean 'take down', 'take up', 'pass/spend' and 'take out' respectively, and have a direct object, i.e. they are used 'transitively', they have *avoir* as their auxilliary. In this case these verbs obey *avoir* agreement rules (see **3c** below). Compare:

*Monique **est passée** devant la fenêtre*	Monique **passed/went by** the window
*Monique **a passé** quelques jours chez nous.*	Monique **spent** a few days at our house.

174

*Nous **sommes montés** au troisième etage.*	We **went up** to the third floor.
*Nous **avons monté** les bagages au troisième étage.*	We **took** the luggage **up** to the third floor.

Notice that you also say *j'**ai** monte/descendu l'escalier* 'I went up/down the stairs':

*Nous **avons monté** l'escalier au troisième étage.*	We **went upstairs** to the third floor.

2 Reflexive verbs

Reflexive verbs (eg *se lever* to get up, *s'habiller* to get dressed) are explained fully in Chapter 30, but their perfect tense requires further special treatment here, since they also use *être* as their auxiliary.

 Attention!

When the subject and direct object are the same person (the majority of times), the past participle agrees with these. Mixed gender agreement is masculine, as above.

se lever   to get up

masculine	feminine	
je me suis levé	*je me suis levée*	I got up
tu t'es levé	*tu t'es levée*	you got up
il s'est levé	*elle s'est levée*	he/she/it got up
nous nous sommes levés	*nous nous sommes levées*	we got up
*vous vous êtes levés**	*vous vous êtes levées**	you got up
ils se sont levés	*elles se sont levées*	they (m)/(f) got up

*If *vous* is used talking to one person:

vous vous êtes levé	*vous vous êtes levée*	you got up

***Elodie s'est levée** à sept heures. **Elle est allée** dans la salle de bains, où **elle s'est douchée**. Puis **elle s'est habillée**.*
Elodie **got up** at 7 o'clock. She **went** into the bathroom, where she **had a shower**. Then she **got dressed**.
***Deux cars se sont arrêtés** devant le collège.*
Two coaches stopped outside the school.

Vive la Grammaire!

■ Negatives and questions are formed as explained in the last chapter:

*Martin **n'est pas** encore **parti**.* Martin **hasn't** yet **left**.
*Où **sont-ils** allés?* Where **did they** go?
*Le car **ne s'est pas** arrêté.* The coach didn't stop.

3 More about past participle agreements

■ If you did something to a part of yourself (eg wash your hair) using a reflexive verb, you don't need to make the past participle agree:

*Elodie **s'est lavé les cheveux** et puis elle **s'est brossé les dents**.*
Elodie **washed her hair** and then she **brushed her teeth**.

■ *Attention les filles!* If you are a girl, remember that if you are describing (in a letter or essay) what you yourself have done or did, you must add an -*e* to the past participle when you use the twelve 'motion' verbs or a reflexive verb:

*Je suis tombé**e** mais je ne me suis pas blessé**e***
I fell but I didn't hurt myself.

■ We didn't quite tell you the whole story about perfects formed with *avoir* in the last chapter, as we thought there was enough to absorb without this slight complication! Past participles do have to agree, but only sometimes: they agree with the **direct object** when it comes before the verb. This occurs most often after an object pronoun:

*Ma **chemise**? Je **l'**ai mise dans le tiroir.*
My **shirt**? I've put **it** in the drawer.
*Où avez-vous acheté ces **chaussures**? Je **les** ai achetées au marché.*
Where did you buy those **shoes**? I bought **them** at the market.

or after *que* referring back to a noun:

*Les **chaussures que** vous avez achetées au marché sont très belles.*
The **shoes which** you bought at the market are very fine.

 Conseil!

It is when you are **writing** French that you need to take great care over the various past participle agreement rules. When you are **speaking**, you only actually hear the feminine agreement on the small number of past participles that end in -*s* or -*t*: *mise(s)*, *écrite(s)*.

176

 ## Prêts?

1 *Joyeux anniversaire!*

Elsa décrit ce que sa famille a fait pour fêter son anniversaire. Choisissez la bonne forme du participe passé.

Elsa describes what her family did to celebrate her birthday. Choose the correct form of the past participle.

Un matin des vacances, je me suis (réveillé   réveillées   réveillée) à neuf heures. Ma mère est (venus   venue   venu) me voir dans ma chambre et mon père est (allée   allés   allé) me préparer mon petit déjeuner. Puis je suis (montée   montés   monté) dans la salle de bains, et j'ai entendu une musique étrange en bas, alors je suis (descendus   descendue   descendues) dans la cuisine, et mes parents et mon frère se sont (levé   levées   levés), sont (venue   venues   venus) vers moi et ont chanté «Joyeux Anniversaire», en m'offrant des cadeaux. C'était mon anniversaire: je suis (née   né   nés) le 23 juillet. Après, ma mère et moi, nous sommes (parti   partis   parties) en ville pour faire des courses.

2 *La bataille d'Azincourt*

Benoît est allé visiter le centre médiéval d'Azincourt dans le nord de la France. Voici ce qu'il a retenu. Préoccupé par l'histoire, il a oublié de conjuguer les verbes. Conjuguez-les à sa place!

Benoît went to visit the medieval centre of Azincourt in the north of France. Concerned with the story of the battle, he forgot to put the verbs into the perfect. Do it for him!

Le 25 octobre, 1415, de nombreux soldats anglais (arriver) à Azincourt. Ils (se préparer) à la bataille. Ils (aller) à la rencontre des Français. 10.000 Français (mourir) et 1.500 (rester) prisonniers des Anglais. Même les chevaux des français (tomber). Le roi des Anglais, Henri V (rentrer) très heureux en Angleterre, et en 1420 il (devenir) roi d'une grande partie de la France.

H 3 *Le jeu de piste*

Johann a suivi ces instructions qui font partie du règlement d'un jeu de piste. Qu'a-t-il fait? Attention! Quelquefois vous devez utiliser *être*, d'autres fois, *avoir*.

Johann has followed these instructions on a trail. Say what he has done. Careful! Sometimes you need to use *être* and sometimes *avoir*.

Exemple: Arrêtez-vous! → Il s'est arrêté.

1. Tournez à droite!
2. Avancez jusqu'au premier panneau!
3. Asseyez-vous sur le banc!
4. Finissez le questionnaire!
5. Levez-vous!
6. Prenez le premier chemin à gauche!
7. Passez devant l'église!
8. Allez jusqu'au bout!
9. Entrez dans la dernière maison sur la droite!
10. Montez l'escalier!

H 4 Quelle mère!

Madame Albaret pense que sa fille Muriel est étourdie. Elle vérifie toujours si elle fait bien les choses. Vous répondrez à la place de Muriel. N'oubliez pas l'accord des participes passés, que vous pourrez entendre!

Madame Albaret thinks her daughter Muriel is forgetful. She always checks whether she does things properly. Your reply for Muriel. Don't forget the past participle agreements: these are all ones you can hear!

– Muriel, qu'as-tu fait des lettres? (mettre sur la table)
– Je les ai mises sur la table, maman.

1. et des cartes postales? (écrire)
2. et des lettres (mettre à la poste)
3. et les courses? (faire ce matin)
4. et la boîte de sardines? (ouvrir)
5. et les crudités (couvrir de scellofrais)
6. et la lettre de ton amie anglaise? (traduire)
7. et la lumière de ta chambre? (éteindre)
8. et ta limonade? (prendre)

Partez!

5 Soir et matin

Décrivez au passé composé cinq choses que vous avez faites avant de vous endormir hier soir, et cinq choses que vous avez faites ce matin. Attention aux verbes auxiliaires!

Describe in the perfect five things you did last night before going to sleep, and five you did this morning. Mind the auxiliary verbs!

6 Une montre perdue

Travail par deux. Vous êtes sorti(e) un jour avec votre correspondant(e), et soudain vous vous rendez compte que vous avez perdu votre montre. Les deux ensemble, vous remémorez ce que vous avez fait depuis que vous êtes sorti(e)s.

Pair work. You have gone out one day with your penfriend, and suddenly, you realise that you have lost your watch. Together, you reconstruct what you have done since you left the house.

Exemple:

– Alors, nous sommes parti(e)s de la maison à dix heures.
– Oui, et nous sommes allé(e)s à l'arrêt de bus.
– Et puis . . .

H 7 Quelle histoire!

Racontez le plus important de ce qui s'est passé dans un épisode récent de votre feuilleton favori. Utilisez au moins dix verbes au passé composé.

Recount the gist of what happened in a recent episode of your favourite 'soap'. Use at least ten verbs in the perfect.

Vocabulaire

avancer	to advance, move forward
Azincourt	site of famous battle, 1415, better known in English as 'Agincourt'.
les crudités (f)	selection of salads
le roi	king
le scellofrais	clingfilm
le soldat	soldier

28

WHAT HAD ALREADY HAPPENED?

the pluperfect (and other compound tenses)

 **A vos marques!**

What is a compound tense?

As already explained in Chapter 26 (the perfect), a compound tense consists of two words: in this case the auxiliary verb *avoir* or *être*, and the past participle. All the rules about auxiliary verbs, formation of questions and negatives, formation and agreement of the past participle as set out in Chapters 26 and 27 apply to these tenses. Only the tense of the auxiliary verb is different.

1 The pluperfect tense

This tense goes further back than the perfect and tells you what **had** (already) happened, ie it is **plu**perfect – 'more than perfect'.

a Formation

You form it with the **imperfect of *avoir* or *être*** + the past participle:

avoir **verbs**

j'avais regardé/fini/vendu	**I had** looked/finished/sold
tu avais regardé/fini/vendu	**you had** . . .
il/elle avait regardé/fini/vendu	**he/she had** . . .
nous avions regardé/fini/vendu	**we had** . . .
vous aviez regardé/fini/vendu	**you had** . . .
ils/elles avaient regardé/fini/vendu	**they had** . . .

être verbs

j'étais allé(e)	**I had** gone
tu étais allé(e)	**you had** gone
il était allé	**he had** gone
elle était allée	**she had** gone
nous étions allé(e)s	**we had** gone
vous étiez allé(e)(s)	**you had** gone
ils étaient allés	**they (m) had** gone
elles étaient allées	**they (f) had** gone

Reflexive verbs use *être*

je m'étais habillé(e)	**I had** got dressed
tu t'étais habillé(e)	**you had** got dressed
il s'était habillé	**he had** got dressed
elle s'était habillée	**she had** got dressed
nous nous étions habillé(e)s	**we had** got dressed
vous vous étiez habillé(e)(s)	**you had** got dressed
ils s'étaient habillés	**they (m) had** got dressed
elles s'étaient habillées	**they (f) had** got dressed

b Uses

■ The most common use of this tense is to say **what had (already) happened** before another event:

> *Quand nous sommes arrivés à la fête, les enfants **avaient mangé** tous les gâteaux!*
> When we arrived at the party, the children **had eaten** all the cakes! (the eating happened before the arriving).
> *Qu'est-ce que **tu avais fait** pour fâcher ta mère?*
> What **had you done** to make your mother angry? (the action happened before mother got angry)
> *Nous **étions déjà partis** quand la pluie a commencé.*
> We **had already left** when the rain started.
> *Annette **s'était déjà couchée** quand sa soeur est rentrée.*
> Annette **had already gone to bed** when her sister came home.

■ It is also often used in 'reported' speech:

> *Etienne a dit qu'il **avait fini** de réparer son vélo.*
> Etienne said that he **had finished** repairing his bike.

2 Future perfect

Another compound tense that you will come across is the 'future perfect'. This tells you what you **will have done** (usually at or by a certain time). It is formed with the **future** of the auxiliary *avoir* or *être* and the past participle:

> *A cette heure demain **j'aurai terminé** mes examens!*
> By this time tomorrow **I will have finished** my exams!
> *Et aujourd'hui en huit **nous serons partis** en vacances!*
> And a week today **we shall have gone off** on holiday!
> *Je **me serai déjà baigné(e)** dans la mer.*
> **I shall already have had a bathe** in the sea.

3 Conditional perfect

You will also need to recognise and perhaps to use the 'conditional perfect', which tells you what you **would have done**. It is formed with the conditional of *avoir* or *être* and the past participle:

> *Nous **aurions préféré** un hôtel à un camping.*
> **We would have preferred** a hotel to a campsite.

This tense is often used in conjunction with *si* ('if') + the pluperfect:

> *Qu'**auriez-vous fait** du chien **si vous étiez allés** en France? Nous **l'aurions mis** dans un chenil.*
> What **would you have done** with the dog **if you had gone** to France? We **would have put him** in kennels.
> *Si **j'avais su** l'heure, **je me serais levé(e)**!*
> If **I had known** the time, **I would have got up**!

 **Prêts?**

H *1 Au restaurant*

Les élèves du troisième ont décidé de fêter la fin de l'année scolaire au restaurant. Mais, comme toujours, Tiphaine est très en retard. Qu'est-ce que ses copains **avaient déjà fait** quand elle est arrivée? Choisissez la forme correcte d'*avoir/être* pour former le plus-que-parfait.

The pupils in Year 10 decided to celebrate the end of the school year at a restaurant. But, as usual, Tiphaine is very late. What **had her friends already done** when she arrived? Choose the right form to make up the pluperfect.

1. Quand elle est arrivée, ses copains (auraient   ont   avaient) déjà commandé.
2. Ils (avait   avaient   auront) déjà bu un coca.

3. Le serveur (aura   a   avait) apporté les hors-d'oeuvre et le pain sur la table.
4. Muriel (a   avait   aurait) mangé son hors d'oeuvre.
5. Pierre et Cédric (étaient   avaient   était) partis téléphoner pour savoir si elle venait.
6. Rachida (avait   est   était) rentrée chez elle pour se changer.
7. La discussion sur le prof de maths (a   avait   aura) bien commencé.

H *2 Dans trois jours . . .*

Sandrine vient de passer le brevet. Elle aura les résultats dans trois jours. Elle rêve . . . Mettez les verbes entre parenthèses au futur antérieur. Attention aux accords des participes passés!
Sandrine has just sat her *brevet* (GCSE). She will have the results in three days' time. Put the verbs into the future perfect, paying attention to past participle agreement!

> Dans trois jours j' (apprendre) que je suis reçue. Mes parents me (féliciter), et ma grand'mère me (faire) un cadeau. Avec mes copains, nous (aller) faire la fête et nous (aller) dîner chez la mère de Fabrice. Je (déjà mettre) tous mes vêtements dans ma valise pour partir en vacances, et ma soeur (partir) en Italie. Mes frères (préparer) la voiture pour le départ en vacances.

H *3 Mamy, ne t'en fais pas!*

Mélanie, une fille belge très sûre d'elle, est allée passer quelques jours à Ashford, dans le Kent, pour son travail. De là, elle appelle sa grand'mère de Tournai, qui se préoccupe beaucoup pour elle. Combinez les expressions des deux colonnes.
Mélanie, a very self-confident Belgian girl, has been to Ashford, in Kent, on account of her work. From there, she phones her grandmother in Tournai, who worries a great deal about her: match the phrases in the two columns.

1. Mamy, ne t'en fais pas! si la voiture était tombée en panne,

a. j'aurais dormi au camping.

2. . . . si je n'avais pas trouvé de restaurant ouvert,

b. j'aurais pris le tunnel sous la Manche.

3. . . . si le bateau de onze heures avait été complet,

c. j'aurais changé de l'argent sur le bateau.

4. . . . si tous les hôtels d'Ashford avaient été complets,

d. j'aurais acheté du poisson avec des frites.

5. . . . si je m'étais perdue dans les rues d'Ashford,

e. je serais allée au garage.

6. . . . si le bureau de change à Calais avait été fermé,

f. j'aurais demandé le chemin à un beau garçon anglais!

Partez!

H 4 *Vous arrivez en retard*

Hier vous êtes arrivé(e) au collège à midi parce que vous aviez été malade le matin.
Qu'est-ce que vos camarades avaient déjà fait? Il doivent vous le dire.
Yesterday you arrived at school at midday because you had been ill in the morning.
What had your classmates already done? They have to tell you.

Exemple:
Nous étions déjà arrivé(e)s vers huit heures et demie.

H 5 *Quel chien!*

La semaine dernière vous avez laissé votre nouveau chiot seul dans la maison
pendant que vous passiez la journée en ville à faire des courses. Qu'est-ce qu'il avait
fait quand vous êtes rentré(e)? Chaque élève doit penser à un méfait.
Last week you left your new puppy alone in the house while you spent the day
shopping. What had he done when you got back? Each pupil has to think of a
misdemeanour.

Exemple:
Il avait mangé les pantoufles de papa!

Voici quelques verbes utiles: renverser, abîmer, déchirer, salir, ronger.

H 6 *Aujourd'hui en huit*

Qu'aurez-vous fait d'ici huit jours? Pensez à une chose pour chaque jour.
What will you have done by this time next week? Think of one thing for each day.

Exemple:
Je serai allé(e) chez ma grand'mère.

H 7 *Qu'auriez-vous fait?*

Qu'auriez-vous fait dans cette situation? Le professeur ou votre camarade de classe
vous donne une situation, et vous devez dire ce que vous auriez fait.
What would you have done in this situation? Your teacher or partner gives you a
situation and you have to say what you would have done. (The situation is best
described by using *si* and the pluperfect).

Exemples:

– Si tu avais perdu ton porte-monnaie . . .

– Je serais allée(e) au commissariat de police/au bureau des objets trouvés.

– Si une guêpe t'avait piqué(e) . . .

– Je serais allé(e) à la pharmacie.

Vocabulaire

abîmer	to spoil, ruin
la guêpe	wasp
renverser	to upset
ronger	to gnaw

29

STATING FORMALLY WHAT HAPPENED
the past historic tense

 **A vos marques!**

What is the past historic?
It is another past tense which tells you what happened at some point in the past.
You are not usually required to be able to use it for GCSE, but you will need to be
able to recognize it. However, for those who would like to practise it, there are a
couple of activities below.

It is a tense that is never used in conversation, where you always use the perfect. In
fact, it is a tense that is mainly seen and not heard, since it is only used in writing,
and formal writing at that. (You would never use it in a letter, for example). You will
find it mainly in books (novels, biographies, etc) and in some newspaper or
magazine reports or articles. We will give you the stems and endings here, so that
you can recognize it when you come across it:

1 Formation
a Regular verbs

regarder	finir	vendre
je regardai	*je finis*	*je vendis*
tu regardas	*tu finis*	*tu vendis*
il/elle regarda	*il/elle finit*	*il/elle vendit*
nous regardâmes	*nous finîmes*	*nous vendîmes*
vous regardâtes	*vous finîtes*	*vous vendîtes*
ils/elles regardèrent	*ils/elles finirent*	*ils/elles vendirent*

We have boxed the third persons singular and plural, because these are the parts you are most likely to come across. If you think about it, you are not going to use the 'I, we, you' parts very often in a tense not used in conversation!

b Irregular verbs

Nearly all irregular verbs have the endings *-is, -is, -it, -îmes, -îtes, 'irent*, with an *-i-* throughout, or *-us, -us, -ut, -ûmes, -ûtes, -urent*, with a *-u-* all through.

Conseil

We have set them out here in the 3rd person; the forms which you are most likely to meet.

-i- verbs

il/elle apprit	*ils/elles apprirent*	he/she/they learnt	*apprendre*
il/elle s'assit	*ils/elles s'assirent*	he/she/they sat down	*s'asseoir*
il/elle conduisit	*ils/elles conduisirent*	he/she/they drove	*conduire*
il/elle dit	*ils/elles dirent*	he/she/they said	*dire*
il/elle écrivit	*ils/elles écrivirent*	he/she/they wrote	*écrire*
il/elle fit	*ils/elles firent*	he/she/they did/made	*faire*
il/elle mit	*ills/elles mirent*	he/she/they put	*mettre*
il/elle naquit	*ils/elles naquirent*	he/she was/they were born	*naître*
il/elle peignit	*ils/elles peignirent*	he/she/they painted	*peindre*
il/elle prit	*ils/elles prirent*	he/she/they took	*prendre*
il/elle promit	*ils/elles promirent*	he/she/they promised	*promettre*
il/elle rit	*ils/elles rirent*	he/she/they laughed	*rire*
il/elle sourit	*ils/elles sourirent*	he/she/they smiled	*sourire*
il/elle suivit	*ils/elles suivirent*	he/she/they followed	*suivre*
il/elle vit	*ils/elles virent*	he/she/they saw	*voir*

-u- verbs

il/elle but	*ils/elles burent*	he/she/they drank	*boire*
il/elle connut	*ils/elles connurent*	he/she/they knew	*connaître*
il/elle courut	*ils/elles coururent*	he/she/they ran	*courir*
il/elle crut	*ils/elles crurent*	he/she/they believed	*croire*
il/elle dut	*ils/elles durent*	he/she/they had to	*devoir*
il/elle eut	*ils/elles eurent*	he/she/they had	*avoir*
il fallut		it was necessary to	*falloir*
il/elle fut	*ils/elles furent*	he/she was/they were	*être*
il/elle lut	*ils/elles lurent*	he/she/they read	*lire*
il/elle mourut	*ils/elles moururent*	he/she/they died	*mourir*

il plut		it rained	*pleuvoir*
il/elle put	*ils/elles purent*	he/she was/they were able	*pouvoir*
il/elle reçut	*ils/elles reçurent*	he/she/they received	*recevoir*
il/elle sut	*ils/elles surent*	he/she/they knew	*savoir*
il/elle vécut	*ils/elles vécurent*	he/she/they lived	*vivre*
il/elle voulut	*ils/elles voulurent*	he/she/they wanted	*vouloir*

Note also:

il/elle tint	*ils/elles tinrent*	he/she/they held	*tenir*
il/elle vint	*ils/elles vinrent*	he/she/they came	*venir*

Also: *devenir, revenir, obtenir* and other verbs based on them.

2 Some examples of the past historic in use

*Napoléon Bonaparte **naquit** en 1769 et **mourut** en 1821.*
Napoleon Bonaparte **was born** in 1769 and **died** in 1821.
***Il vécut** aux dix-huitième et dix-neuvième siècles.*
He lived in the 18th and 19th centuries.
*La tour Eiffel **fut** construite en 1889.*
The Eiffel Tower **was** built in 1889.
*La seconde guerre mondiale **commença** en 1939 et **se termina** en 1945.*
The second world war **began** in 1939 and **ended** in 1945.

Conseil!

Remember: you never speak this tense. In spoken French you would use the perfect, therefore the last example above would be:

*La seconde guerre mondiale **a commencé** en 1939 et **s'est terminé** en 1945.*

Prêts?

H 1 *L'anniversaire du jumelage*

Voici un article de journal, racontant l'anniversaire du jumelage entre la ville d'Amiens et la ville de Darlington. Cet article raconte l'événement au passé simple. Mais vous étiez là en personne, et vous le racontez à la famille de votre ami(e) français(e), en mettant les verbes au passé composé, naturellement!

This is a newspaper article describing the anniversary of the twinning between Amiens and Darlington. This article gives the account in the past historic. But you were there in person and tell your French friends' family all about it, but using the perfect, of course. Change the verbs in italics from the past historic to the perfect.

Hier à onze heures, la cérémonie du 40e anniversaire du jumelage *se déroula* à la Mairie d'Amiens. Tout d'abord on *entendit* le 'God Save the Queen' et la 'Marseillaise'. Puis, les Maires de Darlington et Amiens accompagnés par des personnalités locales *entrèrent* dans la grande salle de réception et *rappelèrent* en de longs discours l'histoire du jumelage. Ils *félicitèrent* les comités de jumelage très dynamiques de part et d'autre de la Manche. Puis le Président du Comité de Jumelage amiénois *prit* la parole et *évoqua* les nombreux échanges entre les deux villes. La Musique Municipale *joua* l'Hymne à la Joie, puis les participants *burent* le verre d'Amitié avant de se réunir autour d'un bon repas.

H 2 *Victor Hugo*

Voici quelques extraits d'une biographie de Victor Hugo, écrivain célèbre français du dix-neuvième siècle. Transformez le passé composé des verbes en passé simple, ce qui est plus formel.

Here are some extracts from the biography of Victor Hugo, the famous 19th century French writer. Change the verbs from the perfect to the more formal past historic.

Victor Hugo est né à Besançon en 1802. Il a fait ses études à Paris. Il a eu cinq enfants. Il a écrit des romans et des poésies. Il est devenu homme politique à partir de 1848. Il a connu la gloire. La France a célébré son 80ᵉ anniversaire en 1882. Il est mort en 1885. Beaucoup de Français sont venus à ses funérailles.

Partez!

H 3 *L'histoire du collège*

Vous préparez une courte histoire de votre collège en français pour un groupe de jeunes Français qui vont bientôt vous rendre visite. Choisissez environ dix événements importants et écrivez votre histoire au passé simple.

You are preparing a brief history of your school in French for a group of French youngsters who are to visit you shortly. Choose about 10 significant events and write your account in the past historic.

H *4 Petite biographie*

Choisissez un personnage bien connu du monde de la musique moderne, du cinéma, du sport, etc et racontez au passé simple les événements principaux de sa vie.

Choose a well-known personality of the world of pop, the cinema, sport, etc and give an account in the past historic of the main events of his/her life.

Vocabulaire

boire la verre d'Amitié	to drink to Friendship
le Comité de jumelage	Twinning Association
de part et d'autre	on both sides
se dérouler	to take place
le discours	speech
évoquer	to evoke, describe
la poésie	poetry, poem
prendre la parole	to make a speech
se réunir	to gather, meet

30

TAKING CARE OF YOURSELF
reflexive verbs

 **A vos marques!**

What is a reflexive verb?

It is a verb where you perform the action on yourself. There are some reflexive verbs in English, such as 'behave yourself!', but there are many more in French, for the reasons explained below.

1 How do you make a verb reflexive?

You use the reflexive pronoun, which comes before the verb in most cases. When you learn the infinitive you learn it with *se* 'oneself': *se laver* 'to wash (oneself)', *se raser* 'to shave (oneself)'. As in English, the reflexive pronoun changes according to the person:

*je **me** lave*	I wash **myself**
*tu **te** laves*	you wash **yourself**
*il **se** lave*	he washes **himself**
*elle **se** lave*	she washes **herself**
*on **se** lave*	one washes **oneself**
*nous **nous** lavons*	we wash **ourselves**
*vous **vous** lavez*	you wash **yourself/yourselves**
*ils **se** lavent*	they (m) wash **themselves**
*elles **se** lavent*	they (f) wash **themselves**

This applies in all tenses:

*je **me** lavais*	I was washing (myself)
*nous **nous** laverons*	we will wash (ourselves)

Attention!

1. Remember that the perfect, pluperfect and other compound tenses of reflexive verbs use *être* as the auxiliary: this is fully explained in Chapters 27 and 28.

   Nous nous sommes baignés dans la rivière. — We bathed in the river.

   Robert s'était déjà levé. — Robert had already got up.

2. When you use the infinitive, you have to use the reflexive pronoun to correspond to the subject:

   Thibaut, tu vas t'habiller? — Thibaut, are you going to get dressed?

3. In positive commands (Chapter 22), the reflexive pronoun comes on the end:

   Asseyez-vous! — Sit down!
   Asseyons-nous! — Let's sit down!

   and *te* becomes *toi*:
   Assieds-toi! — Sit down!

2 Where do you use reflexive verbs?
a Daily routine
A lot of daily routine actions are reflexive:

se réveiller	to wake up
se lever	to get up
se doucher	to shower
se baigner	to bathe, have a bath
se laver	to wash
se peigner	to comb one's hair
se coiffer	to do one's hair
se raser	to shave
se coucher	to go to bed

Je me suis réveillé(e) à sept heures. — I woke up at seven o'clock.
Ma soeur s'est couchée à dix heures. — My sister went to bed at ten o'clock.

b Classroom requirements

s'asseoir	to sit down
se taire	to be quiet, shut up
se lever	to stand up

*Assieds-**toi** et tais-**toi**!*	Sit down and shut up!
*Levez-**vous**!*	Stand up!

c Performing an action to oneself

The verb is reflexive when you perform an action or cause an injury to a part of yourself:

se couper	to cut oneself
se brûler	to burn oneself
se casser	to break
se tordre	to twist
se faire mal (au genou)	to hurt one's (knee)

In addition to these verbs, some of those in (a) can be used in this way:

*Je me suis coupé **le doigt**.*	I've cut my finger.
*Martine **s'est cassé la jambe**.*	Martine has broken her leg.
*Josette **s'est lavé les mains**.*	Josette washed her hands.

Conseil!

Reminder: no past participle agreement when you have done something to a part of yourself!

d S'en aller

s'en aller	to go away

*Nos invités **s'en** vont demain.*	Our guests are going away tomorrow.

e Verbs used intransitively

Some verbs are made reflexive when used intransitively, ie when the subject does the action itself. Here are three common ones:

*J'ai arrêté **le bus** en faisant un signe de la main.*	
I stopped **the bus** by giving a hand-signal.	
*Le **bus** s'est arrêté.*	**The bus** stopped.
*J'ai ouvert **la porte**.*	**I** opened **the door**.
*La **porte** s'est ouverte.*	**The door** opened.

*Henri essayait de fermer **le tiroir** mais il ne **se** fermait pas.*	**Henri** was trying to close **the drawer**, but it didn't close.

(s')allumer to light up and *(s')éteindre* to put out/go out are used in the same way when referring to lights or fires.

 **Attention!**

Have you noticed that when these verbs are not reflexive they use *avoir* in the perfect?

f Each other, one another

You use reflexive verbs when the action is performed on or to each other:

*Maxime et Francine **se** téléphonent tous les jours. Ils **s'**aiment beaucoup.*
Maxime and Francine phone **each other** every day. They love **each other** very much.
*Nous **nous** écrivons chaque mois, ma cousine et moi.*
My cousin and I write **to each other** every month.

Prêts?

1 La veille de l'examen

Yannick et ses camarades de classe échangent leurs idées sur ce qu'ils aiment faire pour se détendre la veille de l'examen. Mettez les verbes entre parenthèses au présent à la personne qui convient.

Yannick and his classmates are exchanging their ideas about what they like to do to relax the day before an exam. Put the verbs into the present and in the suitable person. Don't forget to change the reflexive pronoun!

Yannick: Moi, je (se lever) très tôt et je (se baigner) à la piscine pendant trois ou quatre heures. Et toi, Nathalie, qu'est-ce tu fais?

Nathalie: Oh, moi, je (se réveiller) très tard et je reste au lit jusqu'à midi. L'après-midi, je (se promener) avec mes copines, et le soir, je (se coucher) très tôt. Mon frère, lui, il (s'amuser) toute la journée avec ses copains, et le soir il (s'endormir) très tard.

Yannick: Et Sandrine et Aurélie, qu'est-ce qu'elles font?

Nathalie: Elles sont folles! Elles (se dépêcher) de travailler jusqu'au dernier moment. Elles ne (s'arrêter) que tard le soir.

Yannick: Et toi, Romain?

Romain: Ma mère et moi, nous (se payer) un bon petit repas au restaurant, et l'après-midi nous (s'offrir) une bonne séance de cinéma.

2 C'est dur de se lever!

Tiphaine a beaucoup de mal à se lever le matin. Elle a envie de dormir. Voici ce qu'elle a fait. Imaginez les ordres de sa mère!

Tiphaine has a job getting up in the morning. She wants to sleep on. This is what she did: imagine her mum's orders!

Exemple:	**Les ordres de sa mère**	**Ce que Tiphaine a fait**
	Tiphaine, **réveille-toi**!	Elle s'est réveillée.
1.	Tiphaine, …!	Elle s'est levée.
2.	Tiphaine, …!	Elle s'est douchée.
3.	Tiphaine, …!	Elle s'est habillée.
4.	Tiphaine, …!	Elle s'est coiffée.
5.	Tiphaine, …!	Elle s'est assise à table pour le petit déjeuner.
6.	Tiphaine, …!	Elle s'est brossé les dents.
7.	Tiphaine, …!	Elle s'est lavé les mains.
8.	Tiphaine, …!	Elle s'est préparée pour partir à l'école.

3 Une journée à la pêche

a. Thomas (12 ans) et Rudy (9 ans) sont allés passer la journée au bord de la rivière, mais tout ne s'est pas passé comme ils avaient prévu, et ils ont dû s'excuser à leur mère à leur retour à la maison. Dites au passé composé ce qu'ils ont fait selon les dessins. Utilisez les verbes dans la case.

Thomas and Rudy went to spend the day by the river, but everything didn't quite go off as planned, and they had to apologise to their mother on their return. Describe in the perfect what they got up to according to the drawings, using the verbs from the box.

Exemple:

Ils se sont baignés dans la rivière.

1.

2.

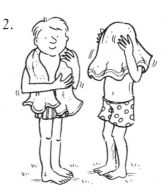

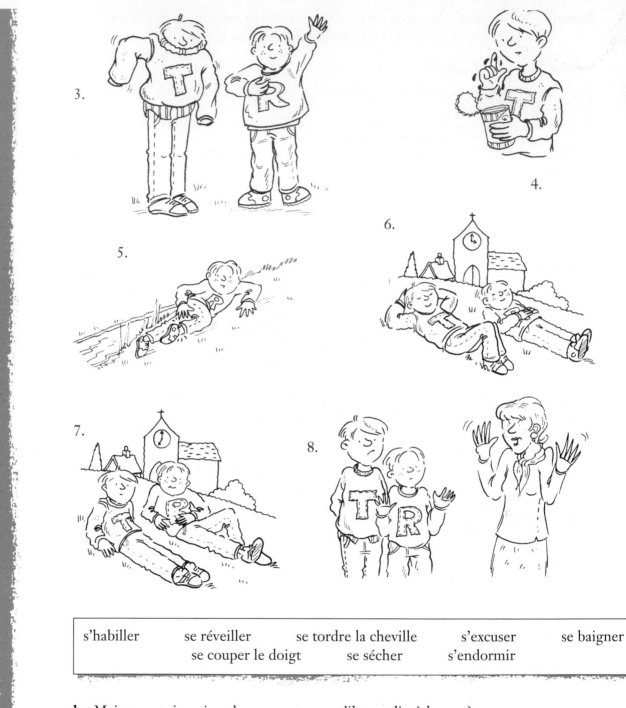

s'habiller	se réveiller	se tordre la cheville	s'excuser	se baigner
	se couper le doigt	se sécher	s'endormir	

b. Maintenant, imaginez les mots exacts qu'ils ont dits à leur mère.
Now imagine the exact words they said to their mother.

Exemple:
Nous nous sommes baignés dans la rivière.

Partez!

4 La première heure de la journée

Décrivez la première heure de la journée de votre famille, en utilisant autant de verbes pronominaux que possible au présent.

Describe the first hour of your family's day, using as many reflexive verbs as possible in the present.

Exemple:

Mon père se réveille à . . . Je me lève à . . . etc.

5 Simon dit . . .

On joue à 'Simon dit . . .'. Un des élèves donne des ordres aux autres, en employant les verbes pronominaux à l'impératif.

Playing 'Simon says . . .', one pupil gives the others orders using the imperatives of reflexive verbs. Use the verbs listed on p.192 and in Exercise 2.

Exemple:

– Simon dit 'levez-vous!' (tout le monde se lève / everybody stands up)

– Asseyez vous! (personne ne se lève / nobody stands up)

6 Au poste de secours

Vous êtes au poste de secours. En employant des verbes pronominaux au passé composé, chacun doit expliquer ce qui lui est arrivé.

You are at a first aid post. Using reflexive verbs in the perfect, each explains what has happened to him/her.

Exemple:

Je me suis brûlé la main.

Vocabulaire

s'offrir	to treat oneself to
se payer	to treat oneself to

31

THE NAME OF THE VERB
the infinitive

 **A vos marques!**

What is the infinitive?

It's the basic form of a verb which you find when you look it up in a dictionary or vocabulary list. It is, if you like, the verb 'in neutral', before you engage a tense and start adding endings. English infinitives begin with 'to', French ones, as you will have already seen many times, end in *-er*, *-ir*, *-re*, which usually tell you how the tenses are formed. There are also a few ending in *-oir*, which are unpredictable.

1 How do you use the infinitive?

a Basic form

It is used as the basic form of the verb to be found in a dictionary. With regular verbs, it's an indicator as to which sets of endings you should use to form tenses. It is useful also to be able to work back the other way, ie from a person and tense to the infinitive:

> *nous choisissons → choisir*
> *ils vendraient → vendre*
> *j'ai travaillé → travailler*

b Command

It is sometimes used instead of a command, especially in instructions, notices, recipes, etc:

> *Ne pas toucher!*   **Don't touch!**
> *Ouvrir ici*   **Open** here.
> *Battre les oeufs.*   **Beat** the eggs.

> 👀 **Attention!**
>
> *Ne pas* both come **before** the infinitive!

c Following a preposition

All prepositions are followed by the infinitive (**except** *en*, which takes the present participle: see Chapter 35). Those most commonly used with a verb are:

Avant de: before (do-)ing

> *Il faut composter votre billet **avant d'aller** sur le quai.*
> You must validate your ticket **before going** on to the platform.

Pour: to, in order to

> *Qu'est ce qu'il faut faire **pour composter** mon billet?*
> What do I have to do (in order) to validate my ticket?

Sans: without (do-)ing

> *Je ne peux pas manger **sans boire**.*   I can't eat without having a drink.

Au lieu de: instead of

> ***Au lieu de jouer** au tennis, nous avons décidé d'aller au cinéma.*
> **Instead of playing** tennis, we decided to go to the cinema.

Après: after

> 👀 **Attention!**
>
> *Après* 'after (do-)ing' is followed by *avoir/être* (depending on the auxiliary) + the past participle (in other words, it needs a 'perfect' infinitive – 'after **having** done':
>
> > ***Après avoir acheté** ce T-shirt, je l'ai porté toute la journée.*
> > **After having bought (after buying)** this T-shirt, I wore it all day.
> > ***Après être descendus** à la rivière nous y avons fait notre pique-nique.*
> > **After having gone down (after going down)** to the river, we had our picnic there.
> > ***Après s'être habillée**, Muriel est sortie voir son petit-ami.*
> > **After having got (getting) dressed**, Muriel went out to see her boy-friend.

d Following other verbs

Following other verbs such as: must do, try to do, continue to do, etc. This is a very common use, and the next two chapters describe its use with 'modal auxiliary verbs' (Chapter 32) and other verbs (Chapter 33).

 ## Prêts?

1 Respectez les consignes!

Vous allez en France en autobus. Vous trouvez ce panneau à l'intérieur et vous expliquez les réglementations au petit frère de votre ami(e) français(e). Utilisez les phrases de la case.

You are travelling by bus in France. You find this notice inside and you explain the rules to your French friend's little brother. Use the phrases from the box.

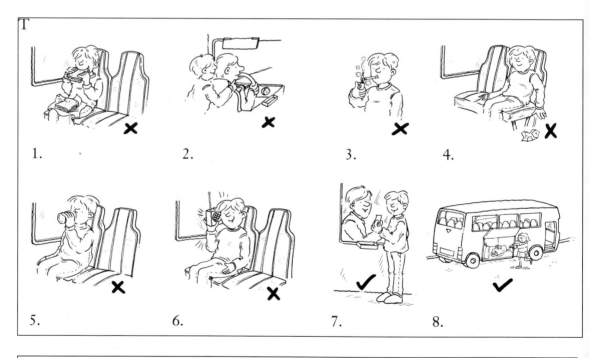

écouter la radio	parler au chauffeur	mettre les bagages dans la soute
jeter les papiers par terre	fumer	montrer votre billet boire

Exemple:

1. ne pas manger

2 La mayonnaise

Voici la recette de la mayonnaise. Mettez les verbes à l'infinitif.
Here is the recipe for mayonnaise. Put the verbs into the infinitive.

1. On prend un oeuf et de la moutarde.
2. On met l'oeuf et la moutarde dans un bol.
3. On bat l'oeuf et la moutarde.
4. On ajoute de l'huile, très lentement.
5. On ne s'arrête pas de battre le mélange.
6. On ajoute du sel.

H 3 Un voyage bien organisé

Paul est un jeune anglais qui part rejoindre son correspondant français à Péronne, en Picardie. Ensemble, ils iront faire du camping en Alsace. Voici ce qu'il raconte à de nouveaux amis qu'il rencontre au camping. Malheureusement, il s'embrouille dans ses phrases. Faites coincider les éléments des deux colonnes.
Paul is an English teenager who goes to join his French correspondant in Péronne in Picardy. They are going camping together in Alsace. This is what he tells the new friends he meets on the campsite, but, unfortunately he gets his sentences mixed up. Match up the parts from the two columns.

1. J'ai préparé mon sac à dos
2. J'ai pris ma tente
3. J'ai pris le car

4. Le car est arrivé à Amiens
5. A Amiens j'ai bu un coca
6. Je me suis reposé quelques jours chez mon correspondant
7. J'ai passé ma première journée en France

a. sans boire une goutte de thé.
b. après avoir traversé la Manche.
c. sans oublier les cadeaux pour la famille de mon correspondant.
d. pour payer moins cher.
e. avant de repartir en Alsace.
f. pour partir en camping avec mon correspondant.
g. avant de prendre le car pour Péronne.

Partez!

4 Changer les consignes

Choisissez n'importe quel(s) chapitre(s) de ce livre et mettez à l'infinitif les
consignes des exercices qui sont à l'impératif.

Choose any chapter(s) of this book and put the imperatives in the exercise rubrics
into the infinitive.

Exemple: (l'exercice 3 ci-dessus): mettre les verbes à l'infinitif.

H *5 On ne peut pas aller à Paris sans ...*

Complétez les phrases suivantes avec des expressions qui contiennent un infinitif.
Combien de phrases pouvez-vous inventer?

Complete the following sentences with phrases containing an infinitive. How many
sentences can you invent?

1. On ne peut pas aller à Paris sans ...
2. Nous restons à la maison au lieu de/d' ...
3. Je travaille pour ...
4. Il faut bien regarder avant de/d' ...
5. Il faut se doucher après ... *(Attention! Voir la section 1c ci-dessus!)*

Exemples:

1. On ne peut pas aller à Paris **sans monter** à la Tour Eiffel.
4. Il faut bien regarder **avant d'**acheter.
5. Il faut se doucher **après avoir joué** au football.

Vocabulaire

la goutte	drop
le mélange	mixture
la soute	luggage boot/hold

32

CAN I? MUST I? I DON'T WANT TO . . .

modal auxiliaries

 **A vos marques!**

What is a modal auxiliary?
It is a verb which is closely associated with another verb and in some way modifies the action of it, eg you **can** do it, we **must** do it. They are all followed directly by the infinitive, except *venir de*, see 6 below. The main modal auxiliaries are as follows.

1 *Pouvoir:* can, may, to be able

Est-ce que tu peux sortir aujourd'hui? Oui, je peux, je ne travaille pas.
Can you go out today? Yes, **I can**, I'm not working.
Nous n'avons pas pu acheter de croissants.
We haven't been able to buy any croissants.

> 👀 **Attention!**
>
> *Je peux* I can, but *puis-je* can I? may I?
>
> *Puis-je entrer?*   **May I** come in?

The conditional of *pouvoir* means 'could', and is often used to ask a favour:

Pourriez-vous me dire l'heure, s'il vous plaît?   Could you tell me the time, please?

Vive la Grammaire!

 **Attention!**

'Could' in that sense means 'would you be able to?', but 'could' in English can also be a past tense, in which case the imperfect or perfect is necessary in French:

Je ne pouvais pas voir l'écran.   **I couldn't** (= **wasn't able to**) see the screen.

Je n'ai pas pu l'aider.   **I couldn't** (= **wasn't able to**) help him.

Conseil!

If in doubt, convert 'could' to 'was' or 'would be able' to tell you which tense to use in French.

2 *Savoir:* can = to know how to

If 'can'/'can't' refers to a skill you have or haven't learnt, you use *savoir* not *pouvoir*:

Est-ce que tu sais nager?   **Can you** swim?
Oui, mais je ne sais pas faire de planche à voile.   Yes, but **I can't** windsurf.

3 *Devoir* and *il faut*: two ways of saying 'must'

■ *Devoir* mostly works like any normal verb:

*Nous **devons** terminer avant sept heures.*   We **must/have to** finish before 7 o'clock.
*Philippe **a dû** attendre le car.*   Philippe **had to** wait for the bus.
*Vous **devrez** écrire à la Mairie.*   You **will have to** write to the Town Hall.

Attention!

The conditional of *devoir* means 'ought (not) to':

*Tu **devrais** mettre un pull.*   You **ought to** put a pullover on.
*Je ne **devrais** pas vous dire ça!*   I **ought not** to tell you that!

and the conditional perfect + infinitive means ought (not) to have:

*Tu **aurais dû mettre** un pull.*	You **ought to have put** a pullover on.

■ *Il faut* means 'it is necessary to' and is only used in the 3rd person singular. It is often used to get over the idea of 'must', especially when **who** has to do the action is understood from the context:

*Il **faut** terminer avant sept heures.*	I/you/we/he/she/they (according to context) **must** finish before 7 o'clock.
*Il **ne faut pas** réveiller le bébé!*	**We/you mustn't** wake the baby!
*Il **a fallu** changer de train à Amiens.*	**We had to** change trains at Amiens.

See also *il faut que* in Chapter 39, 2b.

4 *Vouloir*
This verb is straightforward enough:

*Je ne **veux pas** me coucher!*	**I don't want to** go to bed!

Attention!

Remember that

1. *Veux-tu/voulez-vous?* is used for 'will you do something' in the sense 'are you willing?':

Veux-tu ranger tes jouets? Non, je ne veux pas!	**Will you** put your toys away? No, **I won't**!

2. The conditional *je voudrais* etc is used for 'would like to':

Nous voudrions voir le tennis à la télé cet après-midi.	**We'd like to** see the tennis on TV this afternoon.

and also in polite requests:

Voudriez-vous ouvrir la fenêtre, s'il vous plaît?	**Would you** open the window, please?

5 *Aller*

Aller + the infinitive gives you the 'immediate future', saying what you are going to do (see also Chapter 23):

> *Nous **allons regarder** une vidéo ce soir.*
>
> **We're going to watch** a video this evening.

6 *Venir de*

The present tense of *venir de* + the infinitive tells you what **has just happened**, what you **have just done**:

> *Je **viens de préparer** un repas.*
>
> **I've just prepared** a meal.

The imperfect of *venir de* tells you what **had just** happened, what you **had just** done:

> *Nous **venions de sortir** quand le courrier est arrivé.*
>
> We **had just gone out** when the post arrived.

 # Prêts?

1 *Le départ en vacances*

Que faut-il faire avant de partir en vacances? Choisissez dans la case la phrase qui correspond au dessin.

What do you have to do before you go off on holiday? Choose the phrase from the box which fits the drawing.

Exemple: 1. Il faut faire les valises.

> mettre la table et les chaises de jardin dans la maison
> prendre les billets et les passeports
> fermer la porte à clef
> faire les valises
> mettre l'alarme
> ranger la maison
> fermer les fenêtres
> vider le frigo

2 Arrivée chez un(e) correspondant(e)

Vous arrivez chez votre correspondant(e) française(e), et sa mère vous propose une série de questions pour mieux vous connaître. Vous devez répondre à ses questions.
You arrive at your French penfriend's house and his/her mother asks you a series of questions in order to get to know you better. You reply to the questions (no need to repeat the whole question!).

Exemple:
– Est-ce que tu veux voir la maison?
– Oui, je veux bien.

1. Est-ce que tu veux partager la chambre de ton/ta correspondant(e) ou avoir une chambre pour toi tout(e) seul(e)? – Je . . .
2. Est-ce que tu veux téléphoner à tes parents en Angleterre? – Oui, je . . .
3. Est-ce que tu veux prendre des croissants au petit déjeuner? – Non, merci, je . . .
4. Est-ce que tu sais jouer au basket? – Non, je . . .
5. Est-ce que tu peux sortir tard le soir en Angleterre? – Oui, je . . .
6. Est-ce que tu dois faire des devoirs pendant que tu es en France? – Non, je . . .
7. Est-ce que tu veux dîner maintenant, ou tu viens de dîner dans l'avion? – Je . . .
8. Est-ce que tu veux aller au village m'acheter la baguette demain matin? – Oui, je . . .
9. Est-ce que tu sais faire du vélo? – Oui, je . . . – Très bien, alors fais attention! Il faut rouler à droite en France!

3 L'installation au gîte

Vous arrivez dans un gîte rural en France, et vous discutez avec le propriétaire. Dans les extraits de conversation qui suivent, choisissez le verbe entre parenthèses qui convient.

You arrive at a country cottage in France, and you discuss matters with the owner. Choose the right verb in the snippets of conversation below.

1. – Il manque un lit pour la petite.
   – Alors (*il faut   nous venons d'   nous voulons*) en ajouter un.

2. – Il y a un barbecue dans le jardin.
   – Alors on (*devra   pourra   saura*) faire des grillades.

3. – Il y a des bicyclettes dans le garage.
   – Alors on (*doit   veut   peut*) aller faire un tour demain.

4. – Il y a un film à la télé après les informations de 20h.
   – Alors nous (*allons   venons de   savons*) le regarder.

5. – Nous avons un lac au village. Vous ne savez pas faire de planche à voile? Alors vous (*voudriez   sauriez   devriez*) apprendre. Il y a des cours.

6. – Les enfants ont très chaud ici l'été. Alors nous (*allons   pourrons   saurons*) construire une piscine. Elle sera faite l'année prochaine.

7. – J'ai beaucoup d'animaux à la maison. (*Sauriez-vous   voudriez-vous   devriez-vous*) emmener la petite pour lui montrer?

4 Le jour du départ du gîte

Quand on loue un gîte rural il faut faire le ménage. Le jour du départ, M. Dupuis, qui a distribué les tâches, vérifie que tout est fait avant de prendre la route. Répondez à ses questions selon le modèle.

When you rent a country cottage you have to do the housework. The day they are leaving, M. Dupuis, who has given out the tasks, checks that everything has been done before setting off. Answer according to the model.

Exemple:
– Richard, tu as nettoyé la douche?
– Oui, je viens de la nettoyer.

1. – Mélanie, tu as passé l'aspirateur?
2. – Sébastien, tu as vérifié les pneus de la voiture?
3. – Francine et Elodie, vous avez rangé la vaisselle?
4. – Est-ce que Sylvie a vidé les ordures?
5. – Est-ce que enfants ont fait leurs lits?
6. – Chérie, est-ce que la petite est allée aux toilettes?

 # Partez!

5 Où faut-il aller pour . . . ?

a. La classe se divise en deux équipes. L'équipe A demande à l'équipe B '*Où faut-il aller pour acheter . . .*'. Si l'équipe répond correctement, elle gagne un point, et ainsi de suite.
The class divides into two teams. Team A asks Team B *Où faut-il aller pour acheter . . .* If team B replies correctly, they win a point, and so on.

Exemple:
– Où faut-il aller pour acheter de l'aspirine?
– Il faut aller à la pharmacie.

b. Presque le même jeu, mais cette fois on donne une situation et l'autre équipe dit ce qu'il faut faire pour s'en sortir.
Almost the same game, but this time one side gives a situation and the other has to offer a way of getting out of it.

Exemple:
– Votre camarade a des problèmes avec les maths.
– Il faut l'aider.

c. Continuez à inventer des situations, mais cette fois on répond avec *vous devriez* ou *vous pourriez*.

Carry on inventing situations, but this time you reply using *vous devriez* or *vous pourriez*.

Exemple:
– J'ai très chaud!
– Vous pourriez/devriez enlever un de vos pulls!

■H 6 On a tout fait!

Travail par deux ou en deux équipes. L'un(e) est employé(e) du syndicat d'initiative d'une ville en Suisse francophone, l'autre est touriste. L'employé(e) fait des suggestions pour des activités, mais il semblerait que le/la touriste vient justement de tout faire.

Pair or team work. One is an assistant in the tourist office in a town in French-speaking Switzerland. He/she makes suggestions for various activities, but the tourist seems to have just done everything.

Exemple:
– Pourquoi ne pas monter dans les montagnes?
– Non, nous venons d'y monter ce matin.

Continuez à faire d'autres suggestions (faire une promenade sur le lac, visiter le musée, aller voir le château, etc).

Vocabulaire

ramasser	to pick up
vider	to empty

33

SAYING WHAT YOU LOVE DOING, WHAT YOU'LL TRY TO DO

verbs + the infinitive

 **A vos marques!**

There are many verbs in French which are linked to a following infinitive. Sometimes these verbs are followed directly by the infinitive and sometimes they are joined by *à* or *de*.

*Mon frère **adore aller** à la pêche.*
*Ce livre **vous aidera à réussir** au GCSE.*

My brother **loves going** fishing.
This book **will help you pass** your GCSE.

Attention!

A number of the English equivalents link to the '-ing' part of the verb ('I love shopp**ing**'): **don't** try to use the present participle ending in *-ant* (Chapter 35) in French: stick with the **infinitive**!

Here are the verbs you are most likely to need:

1 Joined direct to the infinitive

devoir	to have to, must, ought
il faut	it is necessary to
pouvoir	to be able to, can
savoir	to know how to
aller	to be going to, to go and ...
vouloir	to want to

(these are explained fully in Chapter 32)

211

adorer	to adore -ing
aimer	to love -ing
descendre	to go down and . . .
désirer	to want to
détester	to detest -ing
entrer	to go in and
espérer	to hope to
laisser	to let
monter	to go up and . . .
oser	to dare to
paraître	to appear to, seem to
penser	to think of -ing
préférer	to prefer to, to prefer -ing
rentrer	to come back and . . .
sembler	to seem to
il vaut mieux	it's best to
venir	to come and . . .

*Mais il **déteste faire** les courses.*	But he **hates doing** the shopping.
*Nous **espérons vous voir** bientôt.*	We **hope to see you** soon.
***Laisse ta soeur prendre** son déjeuner!*	**Let your sister eat** her lunch!
*Les enfants **préféreraient aller** au Futuroscope.*	The children **would prefer to go** to the Futuroscope.

2 Joined with *à*

aider (quelqu'un) à	to help (someone) to
apprendre à	to learn to
s'attendre à	to expect to
commencer à	to begin/start to
continuer à	to continue, carry on -ing
encourager quelqu'un à	to encourage someone to
enseigner à quelqu'un à	to teach someone to
hésiter à	to hesitate to
inviter quelqu'un à	to invite someone to
se mettre à	to start, set about -ing
se préparer à	to get ready to
réussir à	to succeed in -ing
servir à	to be used for -ing
tarder à	to take a long time to

*Quand **as-tu commencé à apprendre** le français?*	When **did you begin learning** French?

Nous vous invitons à passer la journée chez nous samedi prochain.	**We invite you to spend** the day with us next Saturday.
Ce truc-là sert à attraper les mouches.	That gadget **is used to catch** flies.

3 Joined with *de*

avoir besoin de	to need to
avoir envie de	to want to, feel like -ing
avoir honte de	to be ashamed to
avoir l'intention de	to intend to
avoir peur de	to be afraid to
cesser de	to stop, cease -ing
décider de	to decide to
essayer de	to try to
menacer de	to threaten to
offrir de	to offer to
oublier de	to forget to
refuser de	to refuse to
suggérer de	to suggest -ing
terminer de	to finish -ing

J'ai envie de danser!	**I want to dance/feel like dancing!**
Nous avons décidé de rentrer a la maison.	**We decided to go home.**
Mon père a oublié de faire le plein d'essence.	My dad **forgot to fill up** with petrol.

4 *Commander à quelqu'un de . . .*

Verbs which get other people to do something or stop them from doing it are also joined with *de*:

commander à quelqu'un de	to order someone to
conseiller à quelqu'un de	to advise someone to
demander à quelqu'un de	to ask someone to
empêcher quelqu'un de	to stop/prevent someone from -ing
dire à quelqu'un de	to tell someone to
permettre à quelqu'un de	to allow someone to
recommander à quelqu'un de	to recommend someone to

Dis à ton frère de changer ses chaussures.	**Tell your brother to change** his shoes.
Le gardien nous a demandé de payer cinquante francs.	The warden **asked us to pay** 50 francs.

> Le gros camion **nous empêchait de sortir**.

> The big lorry **was stopping us from getting out**.

Prêts?

1 Une surprise pour grand'mère

Voici l'histoire de Dorian, qui veut faire une surprise à sa grand-mère pour son anniversaire. Faites coincider les phrases des deux colonnes. Les prépositions peuvent vous guider!

This is the story of Dorian, who wants to give his grandmother a birthday surprise. Match up phrases from each column. The prepositions may help to guide you!

1. Dorian veut	a. de préparer la mousse quand sa grand-mère arrive.
2. Il hésite	b. de casser les oeufs.
3. Il décide	c. faire une surprise à sa grand-mère.
4. Il descend	d. de faire une mousse au chocolat.
5. Il essaie	e. à faire un gâteau parce c'est trop cher!
6. Il se met	f. acheter des oeufs au supermarché.
7. Il termine	g. à les battre.

2 Le bagage oublié

Toby arrive à l'aéroport de Roissy-Charles de Gaulle. Mais en descendant de l'avion, il se rend compte qu'il a laissé un bagage dans la salle d'embarquement à Leeds en Angleterre. Il faut qu'il aille au bureau des réclamations bagages. C'est son premier séjour en France et il est timide. Complétez les phrases avec à ou de si c'est nécessaire.

Toby arrives at Roissy-Charles de Gaulle airport, but as he gets off the plane he realises he has left a bag in the departure lounge at Leeds, in England. He has to go to the baggage reclaim office. It's his first stay in France, and he's shy. Complete the sentences with *à* or *de* where necessary.

1. Toby va .... demander où se trouve le bureau des réclamations.
2. Il hésite .... entrer dans le bureau.
3. Il n'ose pas .... parler français, car il pense qu'il parle mal.
4. Il commence .... expliquer son histoire, et l'hôtesse l'encourage ....
   parler français.
5. Elle lui demande .... lui donner son adresse en France.
6. Elle dit qu'elle va .... envoyer un télex en Angleterre.
7. Elle suggère .... téléphoner plus tard dans la journée.

8. Rassuré, Toby décide .... prendre un autobus pour aller à Paris et il se met .... parler sans hésitation.

H 3 Un job pour l'été

Olivier est étudiant. Il veut partir en Ecosse mais il a besoin d'argent. Répondez aux questions ci-dessous en choisissant une phrase de la case et en ajoutant la préposition *à* ou *de* si c'est nécessaire.

Olivier is a student. He wants to go to Scotland but he needs money. Answer the questions, choosing a phrase from the box and adding the preposition *à* ou *de* if necessary.

1. De quoi Olivier a-t-il besoin?
2. Que réussit-il?
3. Qu'espère-t-il?
4. Que pense-t-il faire avec cet argent?
5. Que refuse-t-il?
6. Que lui enseigne-t-on le premier jour?
7. Que lui permet-on?
8. Que décide-t-il?

---

commencer à cinq heures du matin

travailler pendant deux mois

trouver un job pour l'été dans un supermarché

mettre les étiquettes sur les produits

gagner de l'argent

s'arrêter un quart d'heure pour prendre un café

gagner 3000 francs

partir en Ecosse chez sa cousine

H 4 Quelle soeur autoritaire!

Votre grande soeur est très autoritaire et vous commande toujours de faire quelque chose. Dites ce qu'elle vous a demandé, commandé, etc de faire cette semaine!

Your big sister is very bossy and is always ordering you to do something. Say what she has asked, ordered etc you to do this week.

Exemple: Qu'est-ce qu'elle vous a demandé de faire dimanche?

Elle m'a demandé d'acheter des croissants.

1. Qu'est-ce qu'elle vous a commandé de faire lundi?

2. Qu'est-ce qu'elle vous a dit de faire mardi?

3. Qu'est-ce qu'elle vous a recommandé de faire mercredi?

4. Qu'est-ce qu'elle vous a empêché de faire jeudi?

5. Qu'est-ce qu'elle ne vous a pas permis de faire vendredi?

6. Qu'est-ce qu'elle vous a demandé de faire samedi?

7. Qu'est-ce qu'elle vous a conseillé de faire dimanche?

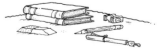

Partez!

5 Pour mieux vous connaître

Travail par deux. Imaginez que vous et votre camarade de classe ne vous connaissez pas, et vous vous posez des questions pour mieux vous connaître. Utilisez dans vos questions les verbes *aimer, adorer, détester, espérer, penser, préférer.*

Pairwork. Imagine that you and your partner do not know each other, and you ask each other questions in order to get to know each other better. In your questions use the verbs *aimer, adorer, détester, espérer, penser, préférer.*

Exemples:

– Qu'est-ce que tu aimes faire le week-end?

– Le samedi j'aime aller en ville, et le dimanche j'adore aller à la piscine.

– Que penses-tu faire après les examens?

– Je pense aller en vacances avec mes copains/copines.

H *6 Qu'est-ce qui se passe?*

Un élève choisit un verbe des listes des sections 2 ou 3 ci-dessus plus un autre verbe à l'infinitif et le mime. Les autres doivent deviner ce qui se passe.

One pupil chooses a verb from the lists in Sections 2 or 3 above plus another verb in the infinitive and mimes it. The others have to guess what is happening.

Exemples:

– Tu essaies d'ouvrir une bouteille!

– Tu aides quelqu'un à traverser la rue!

Vocabulaire

une étiquette	label
le produit	product

34

LOOK AT THIS!
verbs and their objects

 **A vos marques!**

What are direct and indirect objects?

You learnt all about direct and indirect objects in Chapter 8. Look back if you have forgotten! You may have noticed that some verbs take a different sort of object in English and French: e.g. *regarder* takes a direct object in French, but the English is to 'look **at**' something. These lists will help you to sort out the most common verbs whose objects don't correspond.

1 Direct object verbs

Verbs taking a direct object in French, preposition in English:

attendre	to wait **for**
chercher	to look **for**
écouter	to listen **to**
regarder	to look **at**

Attendez les enfants!	Wait **for** the children!
Regarde cette robe!	Look **at** that dress!

2 Indirect object verbs

Verbs taking an indirect object (with *à*) in French and a direct object in English:

jouer à	to play (a game)
obéir à	to obey
téléphoner à	to phone

*Allons jouer **aux** boules!*	Let's go and play boules!

218

*Il faut obéir **à** ton prof!*   You must obey your teacher!
*Je vais téléphoner **à** ma mère.*   I'm going to phone my mother.

3 Verbs with *à* for 'from'
Verbs which use *à* where 'from' is used in English.

There is a small number of verbs where the action involves removal of something **from** a person, where *à* is used in French:

*acheter quelque chose **à** quelqu'un*   to buy something **from** somebody
*enlever quelque chose **à** quelqu'un*   to take something away **from** someone
*emprunter quelque chose **à** quelqu'un*   to borrow something **from** somebody
*voler quelque chose **à** quelqu'un*   to steal something **from** somebody

*Nous avons acheté notre voiture **à** un mécanicien.*   We bought our car **from** a mechanic.

Note also:

*demander quelque chose **à** quelqu'un*   to ask someone **for** something

Ces voyous nous ont demandé l'argent.   Those louts asked us **for** our money (*nous* is indirect object pronoun).

4 Verbs + *de* + object
Verbs + *de* + object in French, + direct object in English:

*s'apercevoir **de***   to notice
*s'approcher **de***   to approach
*avoir besoin **de***   to need
*changer **de***   to change
*discuter **de***   to discuss
*jouer **de***   to play (an instrument)
*se souvenir **de***   to remember
*se tromper **de***   to make a mistake about (see example below)

*Mesdames, messieurs, nous nous approchons **de** l'aéroport de Paris–Charles-de-Gaulle.*
Ladies and gentlemen, we are approaching Paris–Charles-de-Gaulle airport.
*Marc, va changer **de** chemise.*   Marc, go and change your shirt.
*Tu te souviens **de** cet homme?*   Do you remember that man?
*Nous nous sommes trompés **de** train!*   We're on the wrong train!

 **Prêts?**

1 C'est la rentrée!

C'est le jour de la rentrée scolaire à la Cité Scolaire d'Amiens. Tout le monde est un peu perdu dans ce grand lycée. Faites coincider les éléments des deux colonnes.
It's 'back to school' at the Cité Scolaire in Amiens. Everyone is a bit lost in this large school. Match up the parts in the two columns.

1. Tous les élèves attendent   a. à sa mère pour lui dire qui sont ses professeurs.

2. Les élèves discutent   b. des élèves pour leur demander s'ils ont passé de bonnes vacances.

3. Claire cherche   c. de leurs vacances.

4. Un nouvel élève demande   d. à Claire où se trouve la salle 104.

5. Un professeur s'approche   e. de salle: il ne connaît pas l'école.

6. Ludovic va téléphoner   f. de look: il s'est coupé la barbe.

7. Le professeur de musique a changé   g. leurs professeurs principaux

dans la cour.

8. Un nouveau professeur se trompe   h. ses amies mais ne les trouve pas.

 **Partez!**

2 Encore des mimes!

Choisissez un des verbes des listes de la section *A vos marques!* et mimez-le. Les autres devinent ce que vous faites.
Choose a verb from the lists in the *A vos marques!* section and mime it. The others guess what you are doing.

Exemples:
Tu écoutes la radio!
Tu joues de la guitare!

35

GOING, GONE

participles

 ## A vos marques!

What are participles?
There are two participles, present and past, and their functions are best explained
with the examples which follow.

1 The present participle
a *-ant*, '-ing'
The French present participle ends in *-ant*, and corresponds with **some but not all**
of the uses of the '-ing' ending in English. The stem is the 1st person plural (*nous*
form) of the present tense, for both regular and irregular verbs:

	Regular			Irregular	
	regarder to look	*finir* to finish	*vendre* to sell	*boire* to drink	*recevoir* to receive
nous	**regard**ons *regard***ant** looking	**finiss**ons *finiss***ant** finishing	**vend**ons *vend***ant** selling	**buv**ons *buv***ant** drinking	**recev**ons *recev***ant** receiving

 **Conseil!**

This stem is the same as for the imperfect tense; look it up on p. 134.

There are only three verbs which don't follow this pattern:

être	→	*ét***ant**
to be		being

avoir	→	**ay**ant
to have		having

savoir	→	**sach**ant
to know		knowing

b Main uses

■ with *en*, meaning 'while doing', 'by doing' or 'on doing'

> *Je me suis cassé la jambe **en jouant** au rugby.*
> I broke my leg (while) playing rugby.
> *C'est **en travaillant** beaucoup que vous réussirez à vos examens.*
> You'll pass your exams **by working** a lot.
> ***En arrivant** à la Tour Eiffel, nous avons décidé d'y monter.*
> **(On) arriving** at the Eiffel Tower, we decided to go up.

Note also:

entrer en courant	to run into
sortir en courant	to run out
monter en courant	to run up
descendre en courant	to run down

■ as an adjective, when it has to agree like any other adjective:

*Nathalie est une fille **charmante**.*	Nathalie is a **charming** girl.
*Ces livres sont très intéress**ants**.*	Those books are very **interesting**.
*C'est une pièce **passionnante**.*	It's an **exciting** play.

The past participle
a Formation
You are probably familiar with a good many past participles, since they are the second component of the perfect and other compound tenses. They correspond to the English 'done', 'spoken', 'eaten', 'seen', etc. Here are a few as a reminder:

Regular			Irregular		
regarder	*finir*	*vendre*	*boire*	*mettre*	*conduire*
*regard**é***	*fin**i***	*vend**u***	*b**u***	*m**is***	*cond**uit***
looked	finished	sold	drunk	put	driven

Other irregular past participles are listed in full on pages 173 and 174.

b Uses

■ As already said, as the second component of the perfect and other compound tenses:

> *Nous avons **acheté** des cartes postales.*   We have **bought** some postcards.

This use is explained in detail in Chapters 26 and 27.

■ To form the passive, as explained fully in Chapter 36:

> *Cette maison a été **construite** au dix-huitième siècle.*
> This house was **built** in the 18th century.

■ As an adjective, when, of course, it has to agree:

> *Une fenêtre **cassée***   a **broken** window
> *Un pull **tricoté** à la main*   a hand-**knitted** pullover
> *Notre ville est **jumelée** avec Beauvais.*   Our town is **twinned** with Beauvais.

■ For certain bodily positions, where English uses a present participle:

> *être assis*   to be sitting
> *être couché*   to be lying

> *Catherine et Julie étaient **assises** sur le canapé.*   Catherine and Julie were **sitting** on the sofa.
> *Le chien était **couché** devant elles.*   The dog was **lying** in front of them.

👀 Attention!

You should distinguish between the **actions** *s'asseoir* to sit **down**, *se coucher* to lie **down**, and the **positions**, *être assis* to be **sitting/seated**, *être couché* to be **lying**.

je m'assieds

je suis assis

 **Prêts?**

1 Pas de chance!

Décrivez les vignettes ci-dessous en faisant des phrases sur le modèle suivant.
Describe the sketches below making up sentences based on the following model.

Exemple:
C'est **en courant** que Clément est tombé.

1. C'est .... que Jérémie s'est
   cassé la jambe.

2. C'est .... que Michèle s'est
   fait mal au poignet.

3. C'est .... que Christophe
   s'est brûlé la main.

4. C'est .... que Marianne
   s'est coupé le doigt.

5. C'est .... que Véronique a
   perdu son porte-monnaie.

6. C'est .... le café que Mme Andrieux
l'a renversé sur ses invités.

7. C'est .... que Jean a oublié
son sac sur le quai.

8. C'est .... que Philippe a
perdu la clé de la maison.

2 Trouvez le paire!

Pour chacun des noms ci-dessous, vous trouverez au moins un adjectif qui
correpond. Vous verrez que tous les adjectifs sont en effet des participes présents.
N'oubliez pas de les faire accorder! Utilisez le dictionnaire s'il y a des mots que vous
ne connaissez pas!

For each of the nouns below you will find at least one adjective. You'll see that all
the adjectives are in fact present participles. Don't forget to make them agree! Use a
dictionary if there are words you don't know!

des informations	le soleil
une correspondante	un billet
des voitures	un travail
des films	des oiseaux
des livres	un magazine
un garçon	un CD
une fille	une vidéo
une boisson	un professeur

amusant	effrayant	levant	couchant	intéressant
émouvant	pétillant	coupant	irritant	charmant	souriant
gagnant	fatigant	ennuyant	satisfaisant	inquiétant

Exemple: des films intéressants, une fille amusante.

H *3 Pourquoi achetez-vous ça?*

Lucie va faire des courses pour la famille, et elle explique ses achats à une dame qui fait une enquête. Faites coincider les éléments de la deuxième colonne avec ceux de la première: l'accord des participes passés vous aidera. Vous pourrez deviner les mots que nous ne connaissons pas!

Lucie is going shopping for the family, and is explaining her purchases to a lady who is conducting a survey. Match the items in the second column with those in the first. The agreement of the past participles will help you. You will be able to guess the words you don't know!

1. des bandes	a. déshydratés, pour faire des repas rapides.
2. du café	b. coupé, pour mon père, qui n'aime pas les baguettes.
3. de la soupe aux champignons	c. séchées, pour ma mère.
4. des plats	d. formatées, pour l'ordinateur.
5. du lait	e. parfumé à la lavande, pour la salle de bains.
6. des fleurs	f. concentrée, pour la nouvelle recette.
7. du jus d'oranges	g. dessinées, pour les enfants.
8. des disquettes	h. écrémé, parce que c'est plus sain.
9. du savon	i. décaféiné, pour mieux dormir.
10. du pain	j. pressées, comme il fait chaud.

Partez!

4 Chez le médecin

Expliquez au médecin comment vous vous êtes fait mal, en utilisant *en* avec le participe présent.

Explain to the doctor how you hurt yourself, using *en* and the present participle.

Exemples:

Je me suis cassé le bras **en jouant** au hockey.

C'est **en montant** dans le bus que je me suis fait mal au genou.

(Utilisez/use *se faire mal, se casser, se brûler, se tordre, se couper.*)

5 Une activité passionnante!

Prenez quelques-uns des participes présents de l'exercice 2 et trouvez d'autres noms qu'ils pourraient décrire.

Take some of the present participles from exercise 2 and find some more nouns for them to describe.

Exemples:
Une **situation** effrayante, du **vin** pétillant.

6 Une activité prévue!

Essayez de trouver des noms qui conviennent aux participes passés suivants. Faites accorder les participes si c'est nécessaire.

Try to find nouns which go with the following past participles. Make the participles agree if necessary.

frit	rôti	grillé	glacé	coupé	tricoté	réduit	enchanté	fermé
				ouvert	prévu			

Exemples:
Bureau fermé. Agneau rôti.

Vocabulaire

Pour ce chapitre, il faut chercher dans le dictionnaire les mots que vous n'avez pas reconnus!

36

WHAT WAS DONE?

the passive and *on*

 **A vos marques!**

What is the passive?

Most sentences tell you that 'Somebody does/did something', ie the order is **subject – verb – object**: 'Martin sold the bike' *Martin a vendu le vélo*. In this case the verb is **active**.

Subject	Verb	Object
Martin	*a vendu*	*le vélo*
Martin	sold	the bike

Quite often, however, especially in English, you can turn this round and say 'The bike was sold by Martin'. In this case, the object becomes the subject and the person the action was done by becomes the 'agent'. The verb is now **passive**.

Subject	Verb	Agent
Le vélo	*a été vendu*	*par Martin*
The bike	was sold	by Martin

1 How do you form the passive?

As in English, you make up a passive verb with the relevant tense of 'to be' *être* + **the past participle**, which has to agree with the subject. *Par* is 'by':

*La viande **a été mangée par** le chien.*
*Ces glaces **sont fabriquées par** une compagnie italienne.*

The meat **was eaten by** the dog.
These ices **are made by** an Italian company.

You don't always have an agent (i.e. who or what the action was done **by**):

*La maison **a été construite** tout récemment.*	The house **was built** quite recently.
*Les résultats **seront annoncés** à la télévision.*	The results **will be announced** on television.
*Les règles **ont été changées**.*	The rules **have been changed**.

> ### Conseil!
>
> As so many passive verbs are used in the perfect, it's worth putting a bit of effort into learning how to recognise and use this tense, particularly in the 3rd person forms:
>
> | | |
> |---|---|
> | ***il a été** vu* | he was seen |
> | ***elle a été** construite* | it (*la maison*) was built |
> | ***ils ont été** interdits* | they have been/they were prohibited |
> | ***elles ont été** fabriquées* | they (*les glaces*) were made |

2 How to avoid the passive

Having shown you how to form the passive, which is used to a certain extent in French, we have to confess that it is not used as often as it is in English.

There is a common way of expressing the same idea in French but avoiding the passive construction, using *on* + an active verb. This literally means 'one', and one can say things in this way if one wishes in English, but one does tend to sound a little stilted, doesn't one? However, *on* is used quite often in French, when you don't need to say who the action was done by:

***On a construit** cette maison tout récemment.*	This house **was built** quite recently.
***On annoncera** les résultats à la télévision.*	The results **will be announced** on television.
***On a changé** les règles.*	The rules **have been changed**.

On dit means 'it is said', or 'they say' or 'people say':

***On dit** que le propriétaire est très riche.*	**Is is said/they say** that the owner is very rich.

> ### Conseil!
>
> *On* is very useful for getting over the idea 'I was told' *on m'a dit*, 'we were told' *on nous a dit*, 'I was given' *on m'a donné*, etc.

Prêts?

H 1 *L'internat Bacassuré*

Voici une publicité pour l'internat Bacassuré qui est une des meilleures écoles de France. Malheureusement une erreur de la secrétaire a fait que les verbes à la forme passive ont été omis. Remettez-les en place.

Here is an advert for the Bacassuré Boarding School, which is one of the best schools in France. Unfortunately, a secretarial mistake has meant that the passive verbs have been omitted.

> **A l'internat Bacassuré:**
> - Les élèves ....
> - Les élèves .... à l'examen.
> - Les professeurs .... dans les meilleures universités.
> - Le matériel ....
> - Les décisions .... en accord avec les familles.
> - Des cours particuliers .... en cas de besoin.
> - Les repas .... comme à la maison.
> - Les sorties .... entre 17h et 18h et le dimanche.
> - Le succès au Bac ....

> sont autorisées   sont cuisinés   sont donnés   sont motivés   est assuré
> est spécialisé   sont prises   sont formés   sont préparés

H 2 *Le bilan*

Maurice est producteur de fruits dans le Roussillon, dans le sud de France. C'est l'été au soir d'une journée de travail, et il fait le bilan avec son épouse Marie-Claude. Faites coincider les éléments de la colonne A et ceux de la colonne B.

Maurice is a fruit farmer in Roussillon in the south of France. It's a summer evening, and after a day's work, he is taking stock with his wife, Marie-Claude. Match up the parts of the sentence in column A with those in column B.

A	**B**
1. On a donné	a. 500 kilos de melons.
2. On a exporté	b. 400 clients pour les nectarines.
3. On a jeté	c. deux camions d'abricots au marché de Rungis, près de Paris.

4. On a stocké   d. 50 kilos de pêches et 50 kilos d'abricots aux enfants de la colonie de vacances.

5. On a cueilli   e. 100 kilos de melons parce qu'ils étaient abîmés.

6. On a envoyé   f. trois camions de pêches en Allemagne.

7. On a contacté   g. 100 kilos de citrons dans les frigidaires.

H 3 Marie-Claude revoit les chiffres

Marie-Claude est seule. Elle relit les chiffres de l'exercice 2. Mettez les réponses de l'exercice 2 à la forme passive. Tous les participes passés sont au masculin pluriel.

Marie-Claude is alone, re-reading the figures in exercise 2. Put the answers to exercise 2 into the passive. All past participles are masculine plural.

Exemple:

1. 50 kilos de pêches et 50 kilos d'abricots **ont été donnés** aux enfants de la colonie de vacances.

H 4 La vie à l'internat Bacassuré

Expliquez ce que l'on fait dans cet internat en utilisant *on*.

Explain what is done at this boarding school using *on*.

6h30	lever	=	On se lève à 6h30.
7h	petit déjeuner		....
7h30	étude		....
8h	début des cours		....
10h	récréation		....
12h	déjeuner		....
13h30	reprise des cours		....
16h30	football ou tennis		....
19h30	dîner		....
21h30	coucher		....

Partez!

H 5 Un nouveau bâtiment

Décrivez la construction d'un nouveau bâtiment: une maison, une école, un club des jeunes, un magasin – ce que vous voulez. Faites la description d'abord à la forme passive, puis en utilisant *on*.

Describe the construction of a new building: a house, a school, a youth club, a shop – whatever you like. Do the description first in the passive, then using *on*.

Exemple:

Le club a été commencé en 1997. D'abord le terrain a été acheté et préparé, puis …
On a commencé le club en 1997. D'abord on a acheté et préparé le terrain, puis …

(construire les murs, mettre les fenêtres et les portes, terminer le toit, peindre l'intérieur, installer la cuisine, couvrir le plancher, acheter les rideaux, installer des douches, etc)

H *6 Qu'est-ce qu'on fait à votre collège?*
Décrivez ce qu'on fait chaque jour à votre collège, un peu comme dans l'exercise 3, en utilisant *on*.
Describe what is done every day in your school, rather like in exercise 3, using *on*.

Exemple:
On arrive à 8h45 …

Vocabulaire

abîmé	spoilt, ruined
la reprise	resumption (verb: *reprendre* to resume)
revoir	to review

37

I'M COLD BECAUSE IT'S COLD
climate, *avoir* expressions and impersonal verbs

 **A vos marques!**

This chapter deals with areas where you use 'to be' in English, but in most cases a different verb in French. Also, 'impersonal' verbs, beginning with *il*, meaning 'it' + the third person singular of the verb.

1 Talking about the weather
Many weather expressions are 'impersonal' verbs. When talking about the weather, you **don't** usually begin: *Le temps* . . .

■ Quite a lot of weather expressions begin *Il fait*:

Quel temps fait-il?	What's the weather like?
Il fait beau (temps).	The weather's nice.
Il fait mauvais (temps).	The weather's bad.
Il fait froid.	It's cold.
Il fait chaud.	It's hot.
Il fait doux.	It's mild.
Il fait du soleil.	It's sunny.
Il fait du vent.	It's windy.
Il fait du tonnerre.	It's thundery.
Il fait du brouillard.	It's foggy.
Il fait nuit.	It's dark.
Il fait jour.	It's daylight.

■ Others are verbs in their own right:

Il pleut	It rains, it's raining.
Il neige	It snows, it's snowing.
Il gèle	It freezes, it's freezing.
Il grêle	It hails, it's hailing.

■ Sometimes you use *il y a*: 'there is' (see also Section 4 below):

Il y a du verglas sur les routes.   There's black ice on the roads.

 Conseil!

It is worth knowing how to use these expressions in the imperfect and perfect, as you may need to describe what the weather was doing or did yesterday, or while you were on holiday:

Il faisait beau temps et très chaud quand nous étions en vacances.
It was fine and very warm when we were on holiday.
Il pleuvait quand nous sommes partis hier.
It was raining when we left yesterday.
Il y a eu un orage hier soir.
There was a thunderstorm last night.

And to know the infinitives in order to talk about what the weather is going to do:

Est-ce qu'il va pleuvoir cet après midi?
Is it going to rain this afternoon?

2 Saying you're hot or cold and other *avoir* expressions

■ When you are talking about people being hot or cold, you use *avoir*: *chaud*, *froid*, etc remain the same – no agreement needed.

*Est-ce que **tu as froid**?*	**Are you cold**?
*Non, **j'ai assez chaud**!*	No, **I'm quite hot**!

■ Other common expressions where you use *avoir* are:

avoir raison	to be right
avoir tort	to be wrong
avoir faim	to be hungry
avoir soif	to be thirsty
avoir honte (de)	to be ashamed (of)

avoir peur (de)	to be afraid (of)
avoir sommeil	to be sleepy
avoir de la chance	to be lucky

*Oui, **vous avez raison**!*	Yes, **you're right**!
*Maman, **j'ai très faim**!*	Mum, **I'm very hungry**!
*Quand j'étais petit **j'avais peur des** chiens.*	When I was small **I was afraid of** dogs.

3 Saying things are hot or cold

In this case you do use *être*, and you make the adjective agree.

| *L'eau **est très froide**!* | The water **is very cold**! |

4 *Il y a*

Il y a means 'there is', 'there are'. It is worthwhile learning the main tenses, as it is such a common expression:

Present	*il y a*	there is/are
Imperfect	*il y avait*	there was/were (descriptive)
Perfect	*il y a eu*	there has/have been, there was/were (on one occasion)
Future	*il y aura*	there will be
Future with *aller*	*il va y avoir*	there's going to be
Conditional	*il y aurait*	there would be

***Il y avait** une piscine derrière l'hôtel.*	**There was** a pool behind the hotel.
***Il y a eu** un accident.*	**There's been/there was** an accident.
***Il y aura** un accident!*	**There'll be** an accident.
***Il va y avoir** un accident!*	**There's going to be** an accident!

Attention!

Voilà also means 'there is/are', but you use it when you are pointing something out:

| *Ah! **Voilà** mes lunettes, sur le buffet!* | Ah! **There are** my glasses, on the sideboard! |

Prêts?

1 Quel temps fait-il?

Décrivez le temps qu'il fait selon les images.

Describe the weather according to the pictures.

2 J'ai raison!

Dites comment vous vous sentez, selon les images.

Say how you feel, according to the pictures.

Exemple: J'ai froid

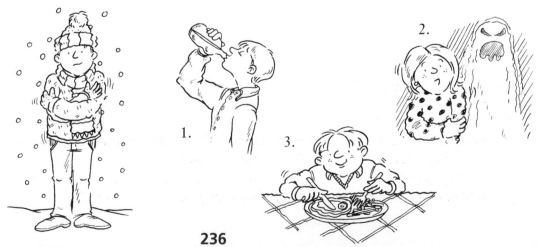

4.

5.

6.

H *3 Les vacances dans les Alpes*

Pierre-Henri est allé en vacances dans les Alpes. Il veut écrire une lettre à sa petite amie. Combinez les expressions des trois colonnes pour faire autant de phrases que possible qui aient du sens.

Pierre-Henri has gone on holiday in the Alps. He wants to write a letter to his girlfriend. Combine the expressions in the three columns to form as many sentences as possible which make sense.

		très chaud
	il y avait	des torrents, des fleurs sauvages.
Le jour	il faisait	très froide
L'eau des torrents	il y a eu	très chaud, car nous marchions beaucoup.
Hier soir	était	très soif, car il faisait chaud.
Dans les vallées	j'avais	un orage.
A cause du tonnerre	il y a	du tonnerre.
		très peur dans mon lit.

Partez!

4 Le temps qu'il fait

Vous mimez vos actions ou réactions au temps qu'il fait. Par exemple, si vous vous essuyez le front, les autres élèves disent: 'il fait chaud!'

You mime your actions or reactions according to the weather, which the other pupils have to guess, eg if you wipe your brow, they say: 'il fait chaud!'

5 Dites pourquoi!

En utilisant chacune des expressions avec *avoir* de la liste de la Section 2 ci-dessus, essayez de trouver des raisons pour lesquelles vous éprouvez telle ou telle chose. Using each of the expressions with *avoir* from the list in Section 2 above, try to find reasons to explain why you feel like that.

Exemple:

– Tu as honte!

– Oui, c'est parce que je viens de voler une bouteille de lait.

– Oui, c'est parce que j'ai frappé mon petit frère.

H ### 6 Regardez autour de vous!

Décrivez, en utilisant tous les temps de *il y a*, ce qui se passe autour de vous. Describe, using all the tenses of *il y a*, what happens around you.

Exemples:

Il y a un cours de français aujourd'hui.

Hier, il y a eu un orage.

Il n'y avait pas beaucoup de monde en ville hier soir.

Ce week-end il y aura un concert en plein air.

Vocabulaire

en plein air	(in the) open-air

38

NO! NOTHING! NEVER!
negatives

 **A vos marques!**

What is a negative?
Negatives are words such as 'no', 'not', 'never', 'no-one', 'nothing', 'nowhere'.
Sometimes in English, they are expressed as 'not ever', 'not anyone', etc.

1 French negatives

non	no
ne . . . pas	not
ne . . . jamais	never, not ever
ne . . . personne	no-one, not anyone/nobody, not anybody
ne . . . rien	nothing, not anything
ne . . . plus	no longer, not any longer
ne . . . pas non plus	neither, not either
ne . . . ni . . . ni . . .	neither . . . nor . . .
ne . . . que	only
ne . . . nulle part	nowhere, not anywhere
ne . . . aucun(e)	no (in the sense of 'not any')

2 How to use negative words

■ All involve using *ne* when there is a verb, and in most cases 'wrapping' *ne* and the
negative word around it:

*Je **ne** mange **pas** de viande.*	I **don't** eat meat.
*Je **ne** mange **jamais** de pommes de terre.*	I **never** eat potatoes.
*Nous **ne** reconnaissons **personne** ici.*	We **don't** recognize **anyone** here.
*Tu **ne** sais **rien**!*	You know **nothing**/you **don't** know **anything**!

239

Vive la Grammaire!

*Nous n'y allons **plus**.*	We **don't** go there **any more**.
*Les maths? Moi, je **ne** les aime **pas non plus**!*	Maths? I **don't** like them **either**!
*En fait, je **n'**aime **ni** les maths **ni** les sciences.*	In fact, I **don't** like **either** maths **or** science. (I like **neither** maths **nor** science.)
*Moi je **n'**aime **que** le français!*	I **only** like French!
*Je **ne** trouve **nulle part** mes lunettes.*	I **can't** find my glasses **anywhere**.
*Mon frère **n'**a pu trouver **aucun** travail.*	My brother has **not** been able to find **any** work.

■ Some negative words can be the subject, and these come before *ne*:

***Personne** ne veut m'aider.*	**Nobody** wants to help me.
***Ni** mon frère **ni** ma soeur **ne** veut m'aider.*	**Neither** my brother **nor** my sister wants to help me.

Attention!

1. In the perfect and other compound tenses, *pas, rien, jamais* come before the past participle:

*Nous **n'avons pas** vu le château.*	We **haven't** seen the castle.
*Nous **n'avons jamais** vu le château.*	We **have never** seen the castle.
*Nous **n'avons rien** vu.*	We **haven't** seen **anything**.

   They are used together before an infinitive:

*Prière de **ne pas fumer**.*	Please **do not smoke**.
***Ne rien jeter** dans l'eau.*	**Do not throw** anything into the water.

2. The other negative words are placed where they are needed:

*Je **ne** bois **ni** bière **ni** vin.*	I drink **neither** beer **nor** wine.
*Nous **n'**avons vu **que** l'extérieur du château.*	We **only** saw the outside of the castle.

3. When two negatives are used together, the order is as follows, any two of: *ne . . . plus, jamais, rien*:

*Nous **ne** le ferons **plus jamais**.*	We'll **never** do it **again**.

> *Nous n'y avons jamais rien trouvé.* — We've **never** found **anything** there.

4. No verb, no *ne*:

> *Qui as-tu vu? Personne.* — Who did you see? **No-one.**
> *Qu'avez-vous acheté? Rien.* — What did you buy? **Nothing.**
> *Aucun problème!* — **No** problem!
> *Moi non plus!* — **Nor** me **either**!

3 *Si* for 'yes'

When you are asked a negative question and you reply 'yes', you say *si*, not *oui*:

> *Tu n'aimes pas le poulet rôti? Mais si, je l'aime bien!*
> You **don't like** roast chicken? Oh, **yes**, I'm very fond of it!

4 *Sans* ('without') + infinitive + negative

Ne is not needed when *sans* is used with an infinitive and a negative:

> *Sans rien dire* — without saying anything.
> *Sans voir personne* — without seeing anybody.

Prêts?

1 Louisette ne veut rien faire

Vous vous arrêtez au camping de Beauvais et vous rencontrez Louisette, qui est de mauvaise humeur et qui répond négativement à toutes vos suggestions. Choisissez dans la case le mot négatif qui convient.

You are staying at the campsite in Beauvais, where you meet Louisette, who is in a bad mood, and who replies in the negative to all your suggestions. Choose the most suitable negative word from the box.

1. Je ne mange .... de viande.
2. Je n'aime .... les glaces.
3. Je ne veux .... manger .... boire.
4. Je ne connais .... ici.
5. Je ne veux .... visiter.

6. Je ne veux aller .... demain.
7. Je ne veux pas aller à Disneyland ....
8. Je n'ai .... de voiture depuis mon accident.
9. Non, je n'ai .... problème.
10. .... ne peut m'aider.

plus	aucun	rien	jamais	ni . . . ni . . .	personne
non	plus	personne	pas	nulle part	

2 Une visite décevante

Vous êtes allé(e) seul(e) à Paris, mais vous n'avez pas fait grand'chose car vous avez perdu beaucoup de temps à faire la queue pour monter en haut de la Tour Eiffel. A votre retour, Louisette vous interroge. Voici vos réponses, mais vous êtes fatigué(e) et vous mélangez les négatifs. Il faut les remettre à leur place!

You went to Paris by yourself, but you didn't do a great deal, because you wasted a lot of time queueing up to go up the Eiffel Tower. When you get back, Louisette interrogates you. Here are your answers, but you are tired and mix up your negatives. Unscramble them!

1. – As-tu visité beaucoup de choses?
   – Non, je n'ai visité *aucune* la Tour Eiffel.
2. – As-tu vu le Louvre?
   – Non, je n'ai *non plus* vu le Louvre.
3. – As-tu parlé avec les Parisiens?
   – Non, je n'ai parlé avec *que*.
4. – As-tu déjà visité le Musée Picasso?
   – Non, je ne l'ai *nulle part* visité.
5. – As-tu regardé le Centre Pompidou?
   – Non, je ne l'ai pas regardé *rien*.
6. – As-tu acheté quelque chose dans les magasins?
   – J'ai regardé des magasins mais je n'ai *jamais* acheté.
7. – Et tu as visité d'autres choses?
   – Non, je n'ai visité *personne* autre chose.
8. – Tu t'es assis(e) quelque part pour prendre un café?
   – Non, je ne me suis assis(e) *pas*.

3 Mais si!

En France, on vous pose à vous et à votre famille, des questions au négatif, ce qui vous surprend. Répondez à l'affirmatif!

In France, you and your family are asked some questions in the negative, which rather surprises you. Answer in the affirmative!

Exemple: – Tu n'aimes pas le steack-frites?
  – Mais si, je l'aime bien!

1. Tu n'aimes pas les glaces?
2. Tu ne veux pas aller à la piscine?
3. Tu ne parles pas français?
4. Vous n'avez pas tous visité le parc Astérix?
5. Votre père ne sait pas rouler à droite?
6. Les enfants ne jouent pas avec les autres enfants au camping?

 # Partez!

4 *Jamais!*
Faites une liste de huit choses que vous ne faites jamais, en donnant les raisons, si vous le souhaitez.
Make a list of eight things you never do, with reasons if you wish.

Exemple: Je ne mange jamais de fromage (parce que je ne l'aime pas).

5 *Personne ne le fait chez nous*
Trouvez dix choses que personne ne fait chez vous, en donnant les raisons, si vous le souhaitez.
Find ten things nobody does in your house, giving reasons if you wish.

Exemple: Personne ne fume, (parce que ça pollue l'air/sent mauvais).

6 *Soyons tous négatifs!*
La classe se divise en deux équipes. La première équipe donne un mot négatif de la liste de la Section 1, et l'autre équipe doit faire une phrase correcte avec ce mot. Faites les phrases à tour de rôle.
The class divides into two teams. The first team gives a negative word from the list in Section 1, and the other team has to make a correct sentence with it. Alternate turns.

Exemple: – Aucun
  – Nous n'avons aucun problème avec ce mot!

39

I WANT YOU TO DO IT! YOU MUST DO IT!

the present subjunctive

 **A vos marques!**

What is the subjunctive?

The subjunctive is a special form of the verb which you have to use in special circumstances instead of the 'ordinary' or 'indicative' form. Although there are other tenses, the present is the only tense of the subjunctive you will need for GCSE.

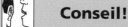 **Conseil!**

The **meaning** of the present subjunctive is nothing to worry about. In most cases it is no different from that of the present indicative.

1 How do you form the present subjunctive?

a Regular verbs

The stem is the 3rd person plural of the present indicative + the following endings:
-e, -es, -e, -ions, -iez, -ent.

regarder (to look)	*finir* (to finish)	*vendre* (to sell)
ils **regard**ent	*ils* **finiss**ent	*ils* **vend**ent
*je regard***e**	*je finiss***e**	*je vend***e**
*tu regard***es**	*tu finiss***es**	*tu vend***es**
*il/elle regard***e**	*il/elle finiss***e**	*il/elle vend***e**
*nous regard***ions**	*nous finiss***ions**	*nous vend***ions**
*vous regard***iez**	*vous finiss***iez**	*vous vend***iez**
*ils/elles regard***ent**	*ils/elles finiss***ent**	*ils/elles vend***ent**

244

> 👀 **Attention!**
>
> Verbs such as *jeter, appeler, lever, espérer, employer* have the same spelling changes as in the present indicative. See Chapter 20.

b Irregular verbs

In most cases, the endings are the same as for regular verbs: only the stem is irregular, and again this is usually formed, as for regular verbs, from the *ils/elles* forms of the present indicative. Here are some examples:

écrire	*mettre*	*suivre*	*partir*
to write	to put	to follow	to leave
*ils **écriv**ent*	*ils **mett**ent*	*ils **suiv**ent*	*ils **part**ent*
j'écrive	*je mette*	*je suive*	*je parte*
tu écrives	*tu mettes*	*tu suives*	*tu partes*
il/elle écrive	*il/elle mette*	*il/elle suive*	*il/elle parte*
nous écrivions	*nous mettions*	*nous suivions*	*nous partions*
vous écriviez	*vous mettiez*	*vous suiviez*	*vous partiez*
ils/elles écrivent	*ils/elles mettent*	*ils/elles suivent*	*ils/elles partent*

Also the following and verbs based on them or verbs that go like them:

Infinitive		**Present indicative**	**Present subjunctive**
s'asseoir	to sit down	*ils s'**assey**ent*	→ *je m'asseye*
conduire	to drive	*ils **conduis**ent*	→ *je conduise*
connaître	to know	*ils **connaiss**ent*	→ *je connaisse*
coudre	to sew	*ils **cous**ent*	→ *je couse*
dire	to say/tell	*ils **dis**ent*	→ *je dise*
falloir	to be necessary, must	–	*il faille*
ouvrir	to open	*ils **ouvr**ent*	→ *j'ouvre*
peindre	to paint	*ils **peign**ent*	→ *je peigne*
pleuvoir	to rain	–	*il pleuve*
rire	to laugh	*ils **ri**ent*	→ *je rie*
sortir	to go out	*ils **sort**ent*	→ *je sorte*
vivre	to live	*ils **viv**ent*	→ *je vive*

■ The following have an irregular stem but follow this pattern:

Infinitive		Present indicative	Present subjunctive
faire	to do/make	*ils font*	*je fasse*
savoir	to know	*ils savent*	*je sache*

■ There are some verbs, which have a 1-2-3-6 or 'boot' pattern and revert to the indicative stem in the *nous* and *vous* forms:

Infinitive

boire   to drink

> *je* **boive**   *nous* **buvions**
> *tu* **boives**   *vous* **buviez**
> *il/elle* **boive**   *ils/elles* **boivent**

Also (remember *tu, il/elle* follow the *je* stem, and *vous* follows the *nous* stem):

croire	to believe	*je* **croie**, *nous* **croyions**, *ils* **croient**
devoir	must, to have to	*je* **doive**, *nous* **devions**, *ils* **doivent**
mourir	to die	*je* **meure**, *nous* **mourions**, *ils* **meurent**
prendre	to take	*je* **prenne**, *nous* **prenions**, *ils* **prennent**
recevoir	to receive	*je* **reçoive**, *nous* **recevions**, *ils* **reçoivent**
venir	to come	*je* **vienne**, *nous* **venions**, *ils* **viennent**
voir	to see	*je* **voie**, *nous* **voyions**, *ils* **voient**

■ These verbs follow the above pattern but don't get their stem from the *ils* form:

aller	to go	*j'***aille**, *nous* **allions**, *ils* **aillent**
vouloir	to want	*je* **veuille**, *nous* **voulions**, *ils* **veuillent**

■ The following are totally irregular:

avoir	to have	*j'aie, tu aies, il/elle ait, nous ayons, vous ayez, ils/elles aient.*
être	to be	*je sois, tu sois, il/elle soit, nous soyons, vous soyez, ils/elles soient.*

2 How do you use the subjunctive?
a Wanting somebody else to do something
You need the subjunctive after *que* when the wanting, preferring, liking (or not) involves another person. Compare these pairs of examples:

Je veux aller au supermarché.	**I want to go** to the supermarket. (**I** both want and go – infinitive, not subjunctive)
Je veux que tu ailles au supermarché.	**I want you to go** to the supermarket. (**I** want, **you** go)
Alors, vous préférez rester ici?	So, **you prefer to remain** here? (**you** both prefer and remain)
Alors, vous préférez que nous restions ici?	So **you prefer us to remain** here? (**you** prefer, **we** remain)
Ma mère préfère nettoyer ma chambre.	**My mother prefers to clean** my room. (**mother** both prefers and cleans)
Ma mère préfère que je nettoie ma chambre.	**My mother prefers me to clean** my room. (**mother** prefers, **I** clean)

b After *il faut que* for 'must'

One way of using *il faut* – with the infinitive – is fully explained in Chapter 32, but it is also often used with the subjunctive, especially when you want to express without doubt **who** must do the action:

Compare these pairs of examples:

Il faut prendre le train de huit heures.	I/we/you/one must catch the 8 o'clock train. (no particular emphasis on who has to catch it!)
Il faut que vous preniez le train de huit heures.	**You** must catch the 8 o'clock train (no doubt: it's **you** who have got to catch it!)
Il faut faire attention!	You/we/I must pay attention!
Michel, il faut que tu fasses attention!	Michel, **you** must pay attention (**you**, Michel!)

c After . . .

il est possible que . . .	it's possible that . . .
il se peut que . . .	it's possible that . . .
il est impossible que . . .	it's impossible that . . .
il est peu probable que . . .	it's improbable/unlikely that . . .

Il est possible que nous arrivions en retard.	It's possible we may arrive late.
Il est peu probable que vous gagniez le prix.	It's unlikely you'll win the prize.

Conseil!

There are quite a number of other ways to use the subjunctive, which you will learn if you go on to study A level French. Most subjunctives you come across you will simply need to recognize as such, even if they are used in ways not touched on in this chapter. **Don't worry: it means the same as the 'ordinary' present indicative!**

Prêts?

H *1 Difficile de se décider!*

Ellie, une jeune fille anglaise, est en vacances chez son amie Catherine à Berck-sur-Mer. Un matin, elles font des projets pour la journée. Choisissez la forme convenable du présent du subjonctif.

Ellie, an English girl is on holiday at her friend Catherine's house in Berck-sur-mer. One morning they are making plans for the day. Choose the suitable form of the present subjunctive. Bagatelle is a big amusement park near Berck-sur-mer.

Catherine: J'ai envie d'aller à Bagatelle. Je voudrais que tu (viens   vienne viennes) avec moi.

Ellie: Non, je préfère rester ici. Je suis fatiguée.

Catherine: Alors il faut que tu (vas   ailles   aillent) te baigner. La plage est à deux pas.

Ellie: Oh non! Je ne connais personne. Ce n'est pas amusant.

Catherine: Tu ne vas pas rester toute seule toute la journée!

Ellie: Pourquoi pas? Il est possible que je (fasse   font   fais) une promenade jusqu'au phare ou que je (visite   visitent   visites) le musée. Il paraît qu'il est très intéressant.

Catherine: Laisse ça pour un autre jour! Je veux que tu (t'amuse   t'amuses t'amusent) en France, pas que tu (passent   passe   passes) ton temps dans les musées!

Ellie: D'accord! je t'accompagne, mais il ne faut pas que tu (veux   veuilles veulent) m'emmener sur la grande roue. J'ai très peur!

H *2 L'école primaire vue par un enfant de dix ans*

On a demandé aux enfants de l'école primaire de St Valéry-sur-Somme d'écrire une rédaction sur les améliorations qu'ils voudraient apporter à leur école. Voici la rédaction de Mohamed, 10 ans. Il a de bonnes idées mais il n'est pas sûr de ses verbes. Aidez-le à choisir le bon verbe dans la case.

The children of the primary school at St Valéry-sur-Somme have been asked to write an essay on the improvements that they would like to see to their school. Here's the essay of Mohamed, 10 years old. He's got some good ideas, but he's none too sure of his verbs. Help him to choose the right verb from the box.

Je voudrais que les maîtres.... moins sévères et que l'on .... plus de desserts à la cantine. J'aimerais que l'on .... l'anglais depuis l'école maternelle et que l'on .... des maîtres qui parlent bien l'anglais. Je voudrais que l'on .... du sport tous les jours et que l'on .... en excursion tous les mois. J'aimerais qu'.... des cours spéciaux pour les enfants qui ne comprennent pas. Il faudrait que l'on .... des films vidéo sur les pays étrangers et que l'on nous.... à jouer d'un instrument de musique. Je préférerais que nous.... plus tôt le matin et que nous.... de bonne heure le midi.

| ait | aille | commencions | soient | il y ait | fasse |
| terminions | | apprenne | voie | enseigne | serve |

H 3 Projets de vacances

Claire et Alain Leclerc partent généralement en vacances avec leurs parents. C'est le mois de mai, et l'été arrive. Ils imaginent ce qu'ils vont faire au mois d'août. Mettez les verbes qui sont entre parenthèses au subjonctif.

Claire and Alain Leclerc usually go on holiday with their parents. It's May, and summer is coming. They are imaging what they are going to do in August. Put the verbs in brackets into the present subjunctive.

– Qu'allons-nous faire de nos vacances?
– Il se peut que nous (aller) en Alsace comme d'habitude.
– Mais non, ce n'est pas possible que nous (loger) chez tante Yvonne, elle reçoit ses amis allemands.
– C'est vrai. Dans ce cas, il est possible que nous (rester) à la maison.
– Je pense que non. Il se peut que l'on (être) invité par mamy pour passer le mois d'août dans sa villa de St Tropez. Ce serait chouette! Alors il est possible que l'on (se baigner) dans la Méditerranée, et que l'on (bronzer) et que l'on (voir) des personnes célèbres. Super!
– Attends un peu. Il est peu probable que papa et maman (être) d'accord pour aller dans un endroit à la mode. Alors il se peut qu'ils (décider) de rester à la maison et qu'ils nous (envoyer) par le train. Ce serait vraiment extra!

Partez!

H *4 Que faut-il que nous fassions?*

Voici quelques situations. Pensez à toutes les choses qu'il faut que vous fassiez!
Here are some situations. Think of all the things you've got to do!

Vous partez demain en vacances.
Vous cuisinez un gâteau.
Vous faites du babysitting chez des amis.
Vous avez un examen de français bientôt.

Exemples:
Il faut que nous fassions les valises.
Il faut que j'achète de la farine et du sucre.
Il faut que je m'occupe des deux enfants.
Il faut que j'apprenne bien les verbes!

H *5 Quel frère!*

Imaginez que le petit frère de votre correspondant(e) est un peu sauvage, et il y a un tas de choses que vous n'aimez pas qu'il fasse. Pensez à des choses que vous n'aimez pas, et dites-le-lui!
Imagine that your penfriend's young brother is a bit wild, and there are heaps of things that you don't like him doing. Think of some things, and tell him so!

Exemples:
Colin, je n'aime pas tu mettes les pieds sur les fauteuils!
Colin, je voudrais que tu manges avec une fourchette et pas avec tes doigts!
Colin, je préfère que tu t'essuies la bouche avec ta serviette!

H *6 Dans la boule de cristal*

Pour votre semaine de formation professionelle en France, on vous a placé(e) chez une diseuse de bonne aventure. Elle vous laisse prédire le futur, mais vous en êtes moins sûr(e) qu'elle. Alors, vous qualifiez vos prédictions avec *il est possible que, il se peut que, il est peu probable que*. Inventez cinq prédictions pour votre camarade de classe.
For your week's work experience in France, you have been placed with a fortune teller. She lets you predict the future, but you are less confident that she is, so you qualify your predictions using *il est possible que, il se peut que, il est peu probable que*. Invent five predictions for your classmate.

Exemples:

Il est possible que tu voies une personalité importante cette semaine.

Il est peu probable qu'elle vienne chez toi prendre un café.

Vocabulaire

chouette!	great! super!
le phare	lighthouse

40

VERB TABLE

Attention!

1. The three conjugations (groups or 'families') of regular verbs are set out with all their tense endings in full.

2. For all other verbs, the tenses which have standard endings for all verbs (future and conditional, imperfect, perfect) are simply given in the 1st person singular (*je*) form.

3. The main irregularities which should be noted are highlighted in **bold print**.

4. Numbers in brackets in the tense column headings refer to the chapter(s) in which that tense is explained in detail.

Vive la Grammaire!

Regular verbs

Infinitive (31)	Present indicative (20)	Imperative (22)	Present participle (35)	Future (23)
-er *verbs* **regarder** *look (at)*	regarde regardes regarde regardons regardez regardent	regarde regardons regardez	regardant	regarderai regarderas regardera regarderons regarderez regarderont
-ir *verbs* **finir** *finish*	finis finis finit finissons finissez finissent	finis finissons finissez	finissant	finirai finiras finira finirons finirez finiront
-re *verbs* **vendre** *sell*	vends vends vend vendons vendez vendent	vends vendons vendez	vendant	vendrai vendras vendra vendrons vendrez vendront

Otherwise regular -er verbs with spelling adjustments. **Only** *the tenses where the adjustments apply are listed. All other tenses are totally regular:*

acheter *buy*	achète achètes achète achetons achetez achètent	achète achetons achetez		achèterai achèteras achètera achèterons achèterez achèteront

Also: amener, emmener, mener, (se) lever, se promener, peser.

espérer *hope*	espère espères espère espérons espérez espèrent	espère espérons espérez		*No change in future and conditional*

Also: s'inquiéter, préférer, protéger, répéter, (se) sécher.

Conditional (24)	Imperfect (25)	Perfect (26, 27, 35)	Past historic (29)	Present subjunctive (39)
regarderais	regardais	ai regardé	regardai	regarde
regarderais	regardais	as regardé	regardas	regardes
regarderait	regardait	a regardé	regarda	regarde
regarderions	regardions	avons regardé	regardâmes	regardions
regarderiez	regardiez	avez regardé	regardâtes	regardiez
regarderaient	regardaient	ont regardé	regardèrent	regardent
finirais	finissais	ai fini	finis	finisse
finirais	finissais	as fini	finis	finisses
finirait	finissait	a fini	finit	finisse
finirions	finissions	avons fini	finîmes	finissions
finiriez	finissiez	avez fini	finîtes	finissiez
finiraient	finissaient	ont fini	finirent	finissent
vendrais	vendais	ai vendu	vendis	vende
vendrais	vendais	as vendu	vendis	vendes
vendrait	vendait	a vendu	vendit	vende
vendrions	vendions	avons vendu	vendîmes	vendions
vendriez	vendiez	avez vendu	vendîtes	vendiez
vendraient	vendaient	ont vendu	vendirent	vendent
achèterais				
achèterais				
achèterait				
achèterions				
achèteriez				
achèteraient				

Regular verbs

Infinitive (31)	Present indicative (20)	Imperative (22)	Present participle (35)	Future (23)
employer	emploie			emploierai
use	emploies	emploie		emploieras
	emploie			emploiera
	employons	employons		emploierons
	employez	employez		emploierez
	emploient			emploieront

Also: appuyer, envoyer (*irregular future, see below*), essuyer, nettoyer, se noyer. *In verbs with* -ay- *the change to* -ai- *is optional*: essayer, payer, etc.

appeler	appelle			appellerai
call	appelles	appelle		appelleras
	appelle			appellera
	appelons	appelons		appellerons
	appelez	appelez		appellerez
	appellent			appelleront

jeter	jette			jetterai
throw	jettes	jette		jetteras
	jette			jettera
	jetons	jetons		jetterons
	jetez	jetez		jetterez
	jettent			jetteront

manger	mange		mangeant	
eat	manges	mange		
and all -*er*	mange			
verbs with	mangeons	mangeons		
stem ending	mangez	mangez		
in -*g*-	mangent			

lancer	lance		lançant	
throw	lances	lance		
and all -*er*	lance			
verbs with	lançons	lançons		
stem ending	lancez	lancez		
in -*c*-	lancent			

Conditional (24)	Imperfect (25)	Perfect (26, 27, 35)	Past historic (29)	Present subjunctive (39)
emploierais				emploie
emploierais				emploies
emploierait				emploie
emploierons				employions
emploieriez				employiez
emploieraient				emmploient
appellerais				applelle
apellerais				appelles
appellerait				appelle
appellerions				appelions
apelleriez				appeliez
apelleraient				appellent
jetterais				jette
jetterais				jettes
jetterait				jette
jetterions				jetions
jetteriez				jetiez
jetteraient				jettent
	mangeais		mangeai	
	mangeais		mangeas	
	mangeait		mangea	
	mangions		mangeâmes	
	mangiez		mangeâtes	
	mangeaient		mangèrent	
	lançais	lançai		
	lançais	lanças		
	lançait	lança		
	lancions	lançâmes		
	lanciez	lançâtes		
	lançaient	lancèrent		

Irregular verbs

Groups of verbs

Infinitive (31)	Present indicative (21)	Imperative (22)	Present participle (35)	Future (23)
ouvrir	ouvre		ouvrant	
open	ouvres	ouvre		
	ouvre			
	ouvrons	ouvrons		
	ouvrez	ouvrez		
	ouvrent			

Also: accueiller, couvrir, découvrir, offrir, souffrir.

Infinitive	Present indicative	Imperative	Present participle	Future
sortir	sors		sortant	
go out	sors	sors		
	sort			
	sortons	sortons		
	sortez	sortez		
	sortent			

Also: courir, dormir, s'endormir, mentir, partir, sentir, servir.

Infinitive	Present indicative	Imperative	Present participle	Future
peindre	peins		peignant	
paint	peins	peins		
	peint			
	peignons	peignons		
	peignez	peignez		
	peignent			

Also: craindre, éteindre, joindre.

Infinitive	Present indicative	Imperative	Present participle	Future
conduire	conduis		conduisant	
	conduis	conduis		
	conduit			
	conduisons	conduisons		
	conduisez	conduisez		
	conduisent			

Also: traduire, produire, détruire.

Conditional (24)	Imperfect (25)	Perfect (26, 27, 35)	Past historic (29)	Present subjunctive (39)
		ai **ouvert**	ouvris	**ouvre**
				ouvres
				ouvre
				ouvrions
				ouvriez
				ouvrent
		suis sorti(e)* *sortir, partir, s'endormir *take* être, *the others*, avoir.		**sorte**
				sortes
				sorte
				sortions
				sortiez
				sortent
	peignais	ai **peint**	**peignis**	**peigne**
				peignes
				peigne
				peignions
				peigniez
				peignent
	conduisais	ai **conduit**	**conduisis**	**conduise**
				conduises
				conduise
				conduisions
				conduisiez
				conduisent

Individual irregular verbs

Infinitive (31)	Present indicative (21)	Imperative (22)	Present participle (35)	Future (23)
aller *go*	vais vas va allons allez vont	 va (*but* vas-y) allons allez	allant	irai
s'asseoir *sit down*	m'assieds t'assieds s'assied nous asseyons vous asseyez s'asseyent	 assieds-toi asseyons-nous asseyez-vous	s'asseyant	m'assiérai
avoir *have*	ai as a avons avez ont	 aie ayons ayez	ayant	aurai
boire *drink*	bois bois boit buvons buvez boivent	 bois buvons buvez	buvant	boirai
connaître *know*	connais connais connaît connaissons connaissez connaissent	 connais connaissons connaissez	connaissant	connaîtrai

Also: reconnaître, paraître, apparaître.

Conditional (24)	Imperfect (25)	Perfect (26, 27, 35)	Past historic (29)	Present subjunctive (39)
irais	allais	suis allé(e)	allai *(as reg. -er)*	**aille** **ailles** **aille** **allions** **allions** **aillent**
m'assiérais	**m'asseyais**	me suis **assis(e)** m'assis		**m'asseye** **t'asseyes** **s'asseye** **nous asseyions** **vous asseyiez** **s'asseyent**
aurais	avais	ai **eu**	**eus**	**aie** **aies** **ait** **ayons** **ayez** **aient**
boirais	**buvais**	ai **bu**	**bus**	**boive** **boives** **boive** **buvions** **buviez** **boivent**
connaîtrais	**connaissais**	ai **connu**	**connus**	**connaisse** **connaisses** **connaisse** **connaissions** **connaissiez** **connaissent**

Vive la Grammaire!

Infinitive (31)	Present indicative (21)	Imperative (22)	Present participle (35)	Future (23)
coudre *sew*	**couds** **couds** **coud** **cousons** **cousez** **cousent**	**couds** **cousons** **cousez**	**cousant**	coudrai
envoyer *send*	**envoie** **envoies** **envoie** envoyons envoyez **envoient**	**envoie** envoyons envoyez	envoyant	**enverrai**
croire *think, believe*	**crois** **crois** **croit** **croyons** **croyez** **croient**	**crois** **croyons** **croyez**	**croyant**	croirai
courir *run*	**cours** **cours** **court** **courons** **courez** **courent**	**cours** **courons** **courez**	**courant**	**courrai**
devoir *have to, must, ought; owe*	**dois** **dois** **doit** **devons** **devez** **doivent**	**dois** **devons** **devez**	**devant**	**devrai**

Conditional (24)	Imperfect (25)	Perfect (26, 27, 35)	Past historic (29)	Present subjunctive (39)
coudrais	**cousais**	ai **cousu**	**cousis**	**couse** **couses** **couse** **cousions** **cousiez** **cousent**
enverrais	envoyais	ai envoyé	envoyai *(reg. -er)*	**envoie** **envoies** **envoies** envoyions envoyiez **envoient**
croirais	**croyais**	ai **cru**	**crus**	**croie** **croies** **croie** **croyions** **croyiez** **croient**
courrais	**courais**	ai **couru**	**courus**	**coure** **coures** **coure** **courions** **couriez** **courent**
devrais	**devais**	ai **dû**	**dus**	**doive** **doives** **doive** **devions** **deviez** **doivent**

Vive la Grammaire!

Infinitive (31)	Present indicative (21)	Imperative (22)	Present participle (35)	Future (23)	
dire *say, tell*	dis dis dit disons <u>dites</u> disent	dis disons <u>dites</u>	**disant**	dirai	
écrire *write*	écris écris écrit écrivons écrivez écrivent	écris écrivons écrivez	**écrivant**	écrirai	
être *be*	suis es est sommes êtes sont	sois soyons soyez	soyant	serai	
faire *do, make*	fais fais fait faisons <u>faites</u> font	fais faisons <u>faites</u>	faisant	ferai	
falloir *be necessary*	(il) **faut** *(3rd person sing only)*			faudra	

Conditional (24)	Imperfect (25)	Perfect (26, 27, 35)	Past historic (29)	Present subjunctive (39)
dirais	disais	ai dit	dis	dise dises dise disions disiez disent
écrirais	écrivais	ai écrit	écrivis	écrive écrives écrive écrivions écriviez écrivent
serais	étais	ai été	fus	sois sois soit soyons soyez soient
ferais	faisais	ai fait	fis	fasse fasses fasses fassions fassiez fassent
faudrait	fallait	a fallu	fallut	faille

Vive la Grammaire!

Infinitive (31)	Present indicative (21)	Imperative (22)	Present participle (35)	Future (23)
lire *read*	**lis** **lis** **lit** **lisons** **lisez** **lisent**	**lis** **lisons** **lisez**	**lisant**	lirai
mettre *put*	**mets** **mets** **met** **mettons** **mettez** **mettent**	**mets** **mettons** **mettez**	mettant	mettrai
Also: promettre, remettre.				
mourir *die*	**meurs** **meurs** **meurt** **mourons** **mourez** **meurent**	**meurs** **mourons** **mourez**	**mourant**	**mourrai**
naître *be born*	**nais** **nais** **naît** **naissons** **naissez** **naissent**	*(no imperative)*	naissant	naîtrai
pleuvoir *rain*	(il) **pleut** *(3rd person sing only)*		**pleuvant**	**pleuvra**

266

Conditional (24)	Imperfect (25)	Perfect (26, 27, 35)	Past historic (29)	Present subjunctive (39)
lirais	**lisais**	ai **lu**	**lus**	**lise** **lises** **lise** **lisions** **lisiez** **lisent**
mettrais	mettais	ai **mis**	**mis**	**mette** **mettes** **mette** **mettions** **mettiez** **mettent**
mourrais	**mourais**	suis **mort**	**mourus**	**meure** **meures** **meure** **mourions** **mouriez** **meurent**
naîtrais	**naissais**	suis **né(e)**	**naquis**	**naisse** **naisses** **naisse** **naissions** **naissiez** **naissent**
pleuvrait	**pleuvait**	a **plu**	**plut**	**pleuve**

Vive la Grammaire!

Infinitive (31)	Present indicative (21)	Imperative (22)	Present participle (35)	Future (23)
pouvoir *be able*	**peux** (*but* **puis-je?**) **peux** **peut** **pouvons** **pouvez** **peuvent**	(*no imperative*)	pouvant	**pourrai**
prendre *take*	prends prends prend **prenons** **prenez** **prennent**	prends **prenons** **prenez**	**prenant**	prendrai
Also: apprendre, comprendre, reprendre.				
recevoir *receive*	**reçois** **reçois** **reçoit** **recevons** **recevez** **reçoivent**	**reçois** **recevons** **recevez**	**recevant**	**recevrai**
Also: apercevoir, s'apercevoir, décevoir.				
rire *laugh*	**ris** **ris** **rit** **rions** **riez** **rient**	**ris** **rions** **riez**	**riant**	rirai
Also: sourire.				
savoir *know*	**sais** **sais** **sait** **savons** **savez** **savent**	**sache** **sachons** **sachez**	**sachant**	**saurai**

Conditional (24)	Imperfect (25)	Perfect (26, 27, 35)	Past historic (29)	Present subjunctive (39)
pourrais	**pouvais**	ai **pu**	pus	puisse puisscs puisse puissions puissiez puissent
prendrais	**prenais**	ai **pris**	pris	prenne prennes prenne prenions preniez prennent
recevrais	recevais	ai **reçu**	reçus	reçoive reçoives reçoive recevions receviez reçoivent
rirais	**riais**	ai **ri**	ris	rie ries rie riions riiez rient
saurais	savais	ai **su**	sus	sache saches sache sachions sachiez sachent

Infinitive (31)	Present indicative (21)	Imperative (22)	Present participle (35)	Future (23)
suivre *follow*	**suis** **suis** **suit** suivons suivez suivent	**suis** suivons suivez	suivant	suivrai
Also: poursuivre.				
tenir *hold*	**tiens** **tiens** **tient** **tenons** **tenez** **tiennent**	**tiens** **tenons** **tenez**	**tenant**	**tiendrai**
Also: contenir, retenir.				
venir *come*	**viens** **viens** **vient** **venons** **venez** **viennent**	**viens** **venons** **venez**	**venant**	**viendrai**
Also: devenir, revenir, se souvenir.				
vivre *live*	**vis** **vis** **vit** vivons vivez vivent	**vis** vivons vivez	vivant	vivrai

Conditional (24)	Imperfect (25)	Perfect (26, 27, 35)	Past historic (29)	Present subjunctive (39)
suivrais	suivais	ai **suivi**	suivis	suive
				suives
				suive
				suivions
				suiviez
				suivent
tiendrais	**tenais**	ai **tenu**	**tins**	**tienne**
				tiennes
				tienne
				tenions
				teniez
				tiennent
viendrais	**venais**	suis **venu(e)**	**vins**	**vienne**
				viennes
				vienne
				venions
				veniez
				viennent
vivrais	vivais	ai **vécu**	**vécus**	vive
				vives
				vive
				vivions
				viviez
				vivent

Vive la Grammaire!

Infinitive (31)	Present indicative (21)	Imperative (22)	Present participle (35)	Future (23)
voir *see*	**vois** **vois** **voit** **voyons** **voyez** **voient**	**vois** **voyons** **voyez**	voyant	verrai
vouloir *want, wish*	**veux** **veux** **veut** **voulons** **voulez** **veulent**	**veuillez***	voulant	**voudrai**

* There is normally no imperative, but veuillez + *infinitive is used in the sense of 'be kind enough to ...':* Veuillez répondre tout de suite *Please reply immediately.*

Conditional (24)	Imperfect (25)	Perfect (26, 27, 35)	Past historic (29)	Present subjunctive (39)
verrais	voyais	ai vu	vis	voie voies voie voyions voyiez voient
voudrais	voulais	ai voulu	voulus	veuille veuilles veuille voulions vouliez veuillent

Key to the *Prêts?* exercises

Chapter 1

1

masculine

le tourisme, l'hôtel, le voyage, le musée, le garage, les bagages, l'avion, le cadeau, le pique-nique, le kilomètre

feminine

la pension, la voiture, la circulation, la station-service, la piscine, la promenade, l'automne, la boisson, la réception, la plage

2

1. la page 2. l'eau (f) 3. le camion 4. le musée 5. le pommier 6. le concombre 7. le passage clouté 8. le marché

3

Ce matin je suis allé acheter trois baguette**s** fraîches, six croissant**s** et les journ**aux** du dimanche, mais il n'y avait pas de tarte**s** aux fruit**s**, alors j'ai pris des gâteau**x** au chocolat. Et puis je suis allé dans le magasin de jouet**s** pour acheter des cadeau**x** pour mes parent**s** et des poupée**s** avec des longs cheveu**x** pour ma cousine Sophie. Demain je vais chez le marchand de légume**s** pour acheter des carotte**s**, des chou**x** vert**s** et des laitue**s**.

Chapter 2

1

sortir le chien, faire la vaisselle, passer l'aspirateur, faire les courses, acheter le journal, nettoyer la cage des canaris, appeler le garagiste, repasser les chemises, aller voir la voisine, aller chercher les enfants au CES, préparer le dîner

2

une lettre, les articles, l'anniversaire, une surprise, Le matin, des roses et des croissants, le/du café, le déjeuner au lit, du soir, cadeaux: Du parfum, un collier et des fleurs, la soirée, au restaurant, les mains au visage, un voyage.

3

1. Non, je ne vois pas d'usines. 2. Non, je ne vois pas de gens dans les rues du village. 3. Non, il n'y a pas de magasins. 4. Non, je ne vois pas de fumée sortir des cheminées. 5. Non, il n'y a pas de bar. 6. Non, il n'y a pas (beaucoup) de maisons. 7. Non, il n'y a pas de neige dans la vallée. 8. Non, je ne vois pas/il n'y a pas d'animaux dans cette vallée.

Chapter 3

1

excellentes, confortables, agréable, confortables, joyeuse, beau, bien faits, super

2

sensationnelle, amusants, intéressants, vieille, sympa, vivants, grosses, française, difficile, bonne, abondante, fraîche, délicieuses, sensass, heureuse, nouvelle, françaises, incroyables

3

1a 2a 3b 4b 5b 6a 7a

4

autre, plusieurs/quelques, tous, quelques/plusieurs, chaque, une telle

Chapter 4

1

1d 2h 3a 4f 5b 6i 7j 8g 9c 10e

2

1. jamais 2. lentement 3. beaucoup 4. bien 5. modérément 6. quelquefois

3

directement, prudemment, partout, surtout, difficilement, dangereusement, vraiment, facilement, couramment

Chapter 5

1

There are quite a number of possibilities for each answer: please consult your teacher!

2

1. Le plus long fleuve de France, c'est la Loire. 2. La montagne la plus haute du monde, c'est l'Everest. 3. Le pays le plus peuplé du monde, c'est la Chine. 4. La ville la plus peuplée de France, c'est Paris. 5. Le pays d'Europe où le nombre de divorces est le moins important, c'est l'Irlande. 6. La frontière la plus longue du monde, c'est la frontière Chine–Russie.

Chapter 6

1

ce, cette, cette, ces, ces, ce ces, ce, cette

2

ce, celui-ci, cette, celle-ci, cet, cela/ceci, ces garçons-là, ceux-ci, ceci/cela

Chapter 7

1

de Valérie, de François, de François, de Valérie, de Valérie, de François, de François, de Valérie

2

ses lunettes, sa glace, tes clés, leurs bols, ma brosse à dents, mon pantalon, mes chaussures.

3

You can either repeat the noun or use a disjunctive pronoun in your answer: à papa/à lui, à grand-mère/à elle, à toi, au chat/à lui, à Sophie/à elle, aux voisins/à eux.

4

la sienne, les siennes, la mienne, la sienne, les leurs, les nôtres, la leur, la nôtre.

Chapter 8

1

il, elle, nous, elles, ils, elle, vous, ils

2

Le serveur donne + any combination of (nouns) columns A and B, or (pronouns) columns C and D. The pronouns in column C refer to the nouns in column A, and column D refers to column B.

Le serveur donne   *Le serveur . . . . donne*

A	B	C	D
un verre d'eau	à Annie	le	lui
deux verres à eau	à Nicolas	les	lui
une bouteille de limonade	aux enfants	la	leur
deux assiettes propres	à son patron	les	lui
l'addition	aux demoiselles	la	leur
	à l'homme d'affaires		lui
	à Angélique et Caroline		leur

3

Santini *la* prend. *Il* voit Martin. *Il la lui* passe. *Il la* prend et se dirige vers les buts. Un joueur de l'équipe adverse, Rivière, *le* voit. Il *le* rattrape, *la* prend à son tour et court vers l'autre côté du terrain. Tous les spectateurs *le* regardent. Ils *lui* crient: 'Vas-y, Riri! Un but!'. *Il* tire et *le* marque. Bravo Rivière!

4

te, les, les, nous, nous, la, le

5

vous, je, vous, il, on, on, la, il, les, lui, vous, il, me, vous, vous, il, vous, le, il, lui, vous

Chapter 9

1

à elle, à elles, à eux, à lui, à moi

2

moi, elle, nous, lui, toi, eux

3

eux, elle, elles, lui, lui, nous, nous

Chapter 10

1

1. Oui, il y en a (cinq). 2. Non, il n'y en a pas. 3. Non, il n'y en a pas. 4. Oui, il y en a (un paquet). 5. Non, il n'y en a pas. 6. Oui, il y en a (un paquet). 7. Oui, il y en a. 8. Non, il n'y en a pas.

2

1. Il y en a quatre. 2. Il en reste quatre. 3. J'en trouve six. 4. J'en vois un. 5. J'en trouve six. Et six. 6. Il en reste cinq. 7. J'en compte deux.

3

1. J'y dors quelquefois. 2. J'y mange souvent. 3. J'y fais souvent des affaires. 4. J'y prends le bateau pour l'Angleterre. 5. J'y reste dans un hôtel Ibis. 6. J'y ai eu un accident il y a quelques mois.

4

Nous nous *y* arrêterons, *y* manger un sandwich. Nous *en* mangerons une ou deux, nous *y* avons louée, nous *y* laisserons nos valises, nous nous *y* baignerons, nous *en* mangerons beaucoup, nous *en* parlerons jusqu'à minuit.

5

1. Oui, je l'y prends 2. je l'y ai vue 3. je les y fais 4. je les lui ai présentés 5. je m'y assieds 6. je lui en ai parlé 7. je leur en parlerai.

Chapter 11

1

vingt et un francs, dix-huit francs, trente-quatre francs, vingt-sept francs; cinquante-six francs, quarante et un francs, soixante-neuf francs; soixante-douze francs; trente-cinq francs; vingt-trois francs, quarante-deux francs; quatre-vingt quinze francs, soixante-dix-huit francs, quinze francs, dix-sept francs, douze francs.

2

Samedi cinq avril	Moreuil quatorze	Montdidier vingt et un
Samedi douze avril	Moreuil vingt-trois	Montdidier huit
Samedi dix-neuf avril	Moreuil dix-neuf	Montdidier dix-huit
Samedi vingt-six avril	Moreuil treize	Montdidier treize

Total de buts de Moreuil: soixante-neuf; de Montdidier: soixante

Meilleure équipe: Moreuil

Moreuil a marqué neuf buts de plus.

3

1. Huit cents km.   2. Il y mettra trois heures et demie; il arrivera à quatorze heures trente/deux heures et demie de l'après-midi.   3. Je dépense soixante-dix-huit francs.   4. Je joue un total de quatre-vingt-seize francs. Je gagne quatre-vingt dix-huit francs. Donc j'ai gagné deux francs! 5. Vingt-trois pour cent.

4

1. quatrième   2. premier   3. deuxième   4. dix-neuvième   5. quinzième   6. sixième *or* dernière

Chapter 12

1

The measures will depend on the size of the particular objects measured: consult your teacher!

2

Pour 40 crêpes: six oeufs, deux cents grammes de sucre et de beurre, un litre de lait, quatre cents grammes de farine, deux pincées de sel. Pour 80 crêpes: douze (une douzaine d') oeufs, quatre cents grammes de sucre et de beurre, deux litres de lait, huit cents grammes de farine, quatre pincées de sel. Avec un kilo de farine on pourra faire cent crêpes.

3

Clockwise starting from Paris: Lyon est à quatre cent soixante et un km de Paris. Montpellier est à trois cent deux km de Lyon. Perpignan est à cent cinquante deux km de Montpellier. Toulouse est à deux cent six km de Perpignan. Bordeaux est à deux cent quarante-huit km de Toulouse. Bayonne est à cent quatre-vingt-trois km de Bordeaux. Poitiers est à deux cent quarante-huit km de Bordeaux. Tours est à cent deux km de Poitiers. Paris est à deux cent trente-six km de Tours. *(You can go the other way round if you like: the distances are the same!).*

Chapter 13

1

1. Il est quatorze heures trente/deux heures et demie de l'après-midi.   2. Il est seize heures quinze/quatre heures et quart de l'après-midi.   3. Il est six heures quarante-cinq/sept heures moins le quart du matin.   4. Il est quatorze heures vingt-huit/deux heures vingt-huit de l'après midi.   5. Il est onze heures cinquante/midi moins dix.   6. Il est dix-huit heures trente-cinq/sept heures moins vingt-cinq du soir.

2

C'est/nous sommes: a. le dimanche sept janvier   b. le samedi onze février   c. le jeudi neuf mars d. le mardi vingt-huit avril   e. le vendredi trente et un mai   f. le mercredi vingt-trois juin   g. le samedi quatorze juillet   h. le jeudi premier août   i. le lundi trente septembre   j. le mardi quinze octobre   k. le lundi trois novembre   l. le dimanche vingt-quatre décembre.

3

1914: en mille neuf cent quatorze, la Première Guerre Mondiale a commencé.

1945: en mille neuf cent quarante cinq, la Seconde Guerre Mondiale s'est terminée.

1918: en mille neuf cent dix-huit, la Première Guerre Mondiale s'est terminée.

1977: en mille neuf cent soixante-dix-sept, Elvis Presley est mort.

1066: en mille soixante-six, Guillaume le Conquérant a envahi l'Angleterre.

1215: en mille deux cent quinze le roi Jean a signé la Magna Carta.

54 avant Jésus-Christ: en cinquante-quatre avant Jésus-Christ, Jules César a envahi l'Angleterre.

2000: en deux mille, le vingt-et-unième siècle *(before 2000)* commencera/*(after 2000)* a commencé.

Chapter 14

1

1. sous 2. sur 3. dans 4. entre 5. derrière 6. devant 7. parmi 8. au bout de

2

1. avant 2. vers 3. après 4. après 5. de ... jusqu'à 6. vers 7. sur 8. jusqu'à 9. entre
10. pendant

3

au-dessus, devant/en face de, à gauche, à droite, entre, sous, sur, devant/à côté de, avec, au-dessus de, à gauche de, sauf.

Chapter 15

1

qui, que, que, qui, que, que, qu', qui, qui, qui, qui, que

2

1. dont 2. que 3. qui 4. qui, auxquels 5. dont 6. qui 7. lesquels 8. auquel

3

1. avec lesquels 2. sur lesquelles 3. dans lesquelles 4. avec lesquels 5. dans lesquelles 6. dans lesquelles 7. auquel/dans lequel 8. auquel/dans lequel

4

1. celles 2. celui 3. ceux 4. celle 5. ceux 6. ceux 7. celles

Chapter 16

1

1. Qui est-ce qui 2. Qu'est-ce que 3. Qui est-ce qui 4. Qui est-ce que *or* qu'est-ce que 5. Qui est-ce qui 6. Qu'est-ce que 7. Qui est-ce qui 8. Qu'est-ce que 9. Qu'est-ce qui

2

1. Pourquoi viens-tu dans notre école? 2. Où loges-tu? 3. Que font tes parents/tes parents, que font-ils? 4. Combien de frères et de soeurs as-tu? 5. Jusqu'à quelle heure as-tu le droit de sortir le samedi soir? 6. Veux-tu sortir avec nous samedi prochain? 7. Quel genre de musique aimes-tu?
8. Quel sport pratiques-tu en Angleterre? 9. Pourquoi ne viendrais-tu pas boire un pot avec nous maintenant?

3

1f 2g 3d 4b 5c 6h 7a 8e

Chapter 17

1

a. 1. Que de beaux chars il y a! 2. Que de beaux uniformes ont les musiciens! 3. Que de personnages il y a ...
b. 4. Quelle musique entraînante! 5. Quel char amusant! 6. Quel loup féroce! (quel air féroce!)
7. Quels cochons fabuleux! 8. Quels personnages extraordinaires!
c. 9. Qu'est-ce que Mowgli court vite! 10. Qu'est-ce que Robin des Bois se bat bien! 11. Qu'est-ce que Mary Poppins danse gracieusement! 12. Qu-est-ce que Dingo amuse les enfants!

Chapter 18

1

Je m'appelle Vanessa. J'ai quinze ans. Je suis née à Birmingham. J'habite maintenant à Stafford, mais autrefois, j'ai habité près de Londres. Mon père est ingénieur et ma mère est infirmière à l'hôpital de la région. Tous les deux parlent bien le français, parce qu'ils ont passé beaucoup de temps en France.

Mon frère s'appelle Tom et il va à l'école primaire à côté de chez nous. C'est un garçon sympa. Au collège, j'étudie huit matières au total, mais je préfère la géographie et les mathématiques. Dans mon temps libre, j'aime aller au cinéma et au théâtre. Et toi, que fais-tu et où vas-tu dans tes heures libres?

Chapter 20
1

1. travaille 2. arrivent 3. commençons, finissons 4. reste 5. ferment 6. réponds 7. vend
8. mangeons 9. achètent 10. promène 11. envoies, préfère
2

1. rappelles 2. promène 3. serre 4. danse 5. amusent 6. adorent 7. préfère 8. visitons
9. rêve 10. aimes 11. restez 12. admire
3

logeons, cuisinons, mangeons, achètent, baigne, jouons, choisissons, téléphonez, arrivez, amusons

Chapter 21
1

a. 1. va 2. vient 3. reçoit 4. fait 5. écrivent 6. dorment 7. courent 8. conduis
b. 1. il pleut 2. il voit 3. elle sort 4. il suit 5. ils boivent
2

Fait, pleut, sors, vais, comprends, dors, entends, ouvre, vois, est, dis, allons, pouvons, veux, peux
3

1. peut 2. faut, savez, connaissez 3. va 4. avez 5. pouvez 6. voulez 7. veulent 8. prenez,
allez, peignent, font 9. va

Chapter 22
1

1. mange! 2. bois! 3. viens! 4. assieds-toi! 5. va chercher! 6. prends! 7. ne bouge pas! 8. ne
tire pas!
2

1g 2d 3f 4e 5a 6h 7b 8c
3

1. allons 2. n'oublions pas 3. prenons 4. passons 5. ne buvons pas 6. mettons 7. vérifions
8. fermons

Chapter 23
1

aurai, passerai, achèterai, irons, baignerons, feras, rendra, pourront, voudront
2

logerons, visiteront, partirai, irons, monterons, voudrai, parlerai, dirai, voudrez, apprendrez
3

viendras, pourras, irons, amèneras, montrerons, verras, dira, faudra, seront, cuisinera, devras,
achèterons, partirons
4

1. Je vais partir en vélo avec mon copain au bord de la Somme. 2. Nous allons monter en haut de la
Tour Perret. 3. Je vais parler aux marionnettistes. 4. Je vais apprendre un peu de picard. 5. Jean-
Louis va venir en Grande Bretagne. 6. Il va amener deux de ses marionnettes. 7. Ma mère va
cuisiner des spécialités britanniques. 8. Nous allons/je vais acheter des 'fish'n'chips'.

Chapter 24

1
1. pourrais 2. serais 3. aurais, achèterions 4. emmèneriez 5. viendraient 6. roulerait

2

prendrais, verrais, mangerais, baignerions, promenerions, pourrions, ferais, amènerait, ferait, serais.

3

a. 2. Voudriez-vous ne pas fumer? 3. Voudriez-vous ne pas promener votre chien sur les pelouses?
4. Voudriez-vous/voudrais-tu attendre? 5. Pourriez-vous/pourrais-tu entrer sans frapper?
6. Pourriez-vous/voudriez-vous ne pas stationner là? 7. Voudriez-vous/pourriez-vous ne pas nourrir les animaux? 8. Voudriez-vous ne pas parler? 9. Voudriez-vous ne pas prendre de photos?
b. 2. Naturellement, je ne fumerais pas! 3. ... je ne promènerais pas mon chien sur les pelouses.
4. ... j'attendrais. 5. ... j'entrerais sans frapper. 6. ... je n'y stationnerais pas. 7. ... je ne nourrirais pas les animaux. 8. ... je ne parlerais pas. 9. ... je ne prendrais pas de photos.

Chapter 25

1
1. faisait 2. mettaient 3. descendait 4. aidais 5. buvions, préparait 6. preniez

2
1. coupait 2. lavait 3. faisait 4. parlaient 5. mangeait, lançait 6. lisait, attendait.

3

faisait, brillait, était, regardais, roulaient, lisaient, jouaient, dormait, essayions, allait, approchions, entrions, attendaient

4
1. étaient 2. vivaient 3. cultivaient 4. mangeaient 5. envoyait 6. utilisait 7. avait 8. allaient
9. fallait 10. étais

Chapter 26

1
1. ont 2. a 3. ai 4. avons 5. a 6. as 7. avez

2

The past participles contained in the search are (with their infinitives): bu – boire; choisi – choisir; connu – connaître; cru – croire; dit – dire; écrit – écrire; été – être; eu – avoir; fait – faire; lu – lire; mangé – manger; mis – mettre; ouvert – ouvrir; pris – prendre; pu – pouvoir; reçu – recevoir; répondu – répondre; ri – rire; vendu – vendre; vu – voir. *A bonus point if you also spotted:* tu – se taire.

3

j'ai vu, j'ai reconnu, nous avons marché, nous avons observé, a indiqué, il a pris, il a fait, nous avons couru, a dit, nous avons promis, j'ai ouvert, j'ai traduit

4

fait, acheté, préparé, cherché, allumé, mis, bu, entendu, cru, plu, grillé, éteint, fallu

Chapter 27

1

réveillée, venue, allé, montée, descendue, levés, venus, née, parties

2

sont arrivés, se sont préparés, sont allés, sont morts, sont restés, sont tombés, est rentré, est devenu

3

1. Il a tourné à droite. 2. Il a avancé jusqu'au premier panneau. 3. Il s'est assis sur le banc. 4. Il a fini le questionnaire. 5. Il s'est levé. 6. Il a pris le premier chemin à gauche. 7. Il est passé devant l'église. 8. Il est allé jusqu'au bout. 9. Il est entré dans la dernière maison sur la droite. 10. Il a monté l'escalier.

4

1. Je les ai écrites. 2. Je les ai mises à la poste. 3. Je les ai faites ce matin. 4. Je l'ai ouverte. 5. Je les ai couvertes de scellofrais. 6. Je l'ai traduite. 7. Je l'ai éteinte. 8. Je l'ai prise.

Chapter 28

1

1. avaient 2. avaient 3. avait 4. avait 5. étaient 6. était 7. avait

2

j'aurai appris, m'auront félicitée, m'aura fait, serons allés, serons allés, j'aurai déjà mis, sera partie, auront préparé

3

1e 2d 3b 4a 5f 6c

Chapter 29

1

s'est déroulée, a entendu, sont entrés, ont rappelé, ont félicité, a pris, a évoqué, a joué, ont bu

2

naquit, fit, eut, écrivit, devint, connut, célébra, mourut, vinrent

Chapter 30

1

je me lève, je me baigne, je me réveille, je me promène, je me couche, il s'amuse, il s'endort, elles se dépêchent, elles ne s'arrêtent, nous nous payons, nous nous offrons

2

1. lève-toi! 2. douche-toi! 3. habille-toi! 4. coiffe-toi! 5. assieds-toi à table! 6. brosse-toi les dents! 7. lave-toi les mains! 8. prépare-toi pour aller à l'école!

3

a. 1. Ils se sont séchés. 2. Ils se sont (r)habillés. 3. Thomas s'est coupé le doigt. 4. Rudy s'est tordu la cheville. 5. Ils se sont endormis vers trois heures. 6. Ils se sont réveillés vers sept heures. 7. Ils se sont excusés à leur mère.

b. 1. Nous nous sommes séchés ... 2. Nous nous sommes (r)habillés ... 3. Je me suis coupé le doigt. 4. Je me suis tordu la cheville. 5. Nous nous sommes endormis ... 6. Nous nous sommes réveillés. 7. Pardon, maman!

Chapter 31

1

1. ne pas parler au chauffeur 2. ne pas fumer 3. ne pas jeter de papiers par terre 4. ne pas boire 5. ne pas écouter la radio 6. montrer votre billet 7. mettre les bagages dans la soute

2

1c 2f 3d 4b 5g 6e 7a

3

1. prendre 2. mettre 3. battre 4. ajouter 5. ne pas s'arrêter 6. ajouter

Chapter 32

1

2. il faut ranger la maison 3. il faut vider le frigo 4. il faut mettre la table et les chaises de jardin dans la maison 5. il faut fermer les fenêtres 6. il faut prendre les billets et les passeports 7. il faut mettre l'alarme 8. il faut fermer la porte à clef

2

1. Je veux partager la chambre de mon/ma correspondant(e) *or* je veux avoir une chambre pour moi tout(e) seul(e). 2. Oui, je veux bien. 3. Non, merci, je n'en veux pas. 4. Non, je ne sais pas. 5. Oui, je peux. 6. Non, je ne dois pas. 7. Je veux dîner maintenant *or* Je viens de dîner dans l'avion. 8. Oui, je veux bien. 9. Oui, je sais.

3

1. il faut 2. on pourra 3. on peut 4. nous allons 5. devriez 6. allons 7. voudriez-vous?

4

1. Oui, je viens de le passer 2. Oui, je viens de les vérifier 3. Oui, nous venons de la ranger 4. Oui, elle vient de les vider 5. Oui, ils viennent de les faire 6. Oui, elle vient d'y aller.

Chapter 33

1

1c 2e 3d 4f 5b 6g 7a

2

1. – 2. à 3. – 4. à, à 5. de 6. – 7. de 8. de, à

3

1. Il a besoin de gagner de l'argent. 2. Il réussit à trouver un job pour l'été dans un supermarché 3. Il espère gagner 3000 francs. 4. Il pense partir en Ecosse chez sa cousine 5. Il refuse de commencer à cinq heures du matin. 6. On lui enseigne à mettre les étiquettes sur les produits. 7. On lui permet de s'arrêter un quart d'heure pour prendre un café. 8. Il décide de travailler pendant deux mois.

4

1. Elle m'a commandé de passer l'aspirateur dans la maison. 2. Elle m'a dit de promener le chien. 3. Elle m'a recommandé de me coucher à huit heures. 4. Elle m'a empêché de regarder la TV. 5. Elle ne m'a pas permis de jouer au tennis. 6. Elle m'a demandé de faire des courses avec elle. 7. Elle m'a conseillé de faire mes devoirs.

Chapter 34

1

1g 2c 3h 4d 5b 6a 7f 8e

Chapter 35

1

1. en jouant au football   2. en jouant au tennis   3. en allumant le barbecue   4. en préparant le repas/déjeuner/dîner   5. en allant au supermarché   6. en servant/versant le café   7. en prenant/en montant dans le train   8. en se promenant/en marchant/en faisant une promenade dans les montagnes

2

There are numerous combinations which would all be correct so long as their meanings make sense. As far as agreement is concerned:

- un garçon, le soleil, un billet, un travail, un magazine un CD, un professeur: *present participle agrees m. sing. in* -ant.
- des films, des livres, des oiseaux: *m. plural, p.p. ends in* -ants.
- une correspondante, une fille, une boisson, une vidéo: *f. sing*: -ante.
- des informations, des voitures: *f. plural*: -antes.

3

1g   2i   3f   4a   5h   6c   7j   8d   9e   10b

Chapter 36

1

sont motivés, sont préparés, sont formés, est spécialisé, sont prises, sont donnés, sont cuisinés, sont autorisées, est assuré

2

1d   2f   3e   4g   5a   6c   7b

3

1. 50 kilos de pêches et 50 kilos d'abricots ont été donnés aux enfants de la colonie de vacances.   2. 3 camions de pêches ont été exportés en Allemagne.   3. 100 kilos de melons ont été jetés parce qu'ils étaient abîmés.   4. 100 kilos de citrons ont été stockés dans les frigidaires.   5. 500 kilos de melons ont été cueillis.   6. 2 camions d'abricots ont été envoyés au marché de Rungis, près de Paris.   7. 400 clients ont été contactés pour les nectarines.

4

On prend le petit déjeuner à 7h. On étudie à 7h30. On commence les cours à 8h. On a la/on sort en récréation à 10h. A midi (12h) on prend le déjeuner. A 13h30 on reprend/recommence les cours. A 16h30 on joue/peut jouer au football ou au tennis. A 19h30 on prend le dîner. A 21h30 on se couche.

Chapter 37

1

1. il neige   2. il pleut   3. il fait du soleil/très beau   4. il fait du brouillard   5. il gèle   6. il fait doux   7. il fait nuit   8. il fait du vent

2

1. j'ai soif   2. j'ai peur   3. j'ai faim   4. j'ai sommeil   5. j'ai tort   6. j'ai raison

3

The following combinations make most sense:

Le jour   il faisait très chaud
                    j'avais très chaud, car nous marchions beaucoup
L'eau des torrents était très froide
Hier soir   il y a eu un orage
                    il faisait du tonnerre
Dans les vallées   il y a/il y avait des torrents, des fleurs sauvages
                    il faisait très chaud

A cause du tonnerre   j'avais très peur dans mon lit
                                  (il faisait très chaud)

Chapter 38

1

1. jamais   2. pas   3. ni . . . ni . . .   4. personne   5. rien   6. nulle part   7. non plus   8. plus
9. aucun   10. personne.

2

1. Non, je n'ai visité *que* la Tour Eiffel.   2. Non, je ne l'ai *pas* vu le Louvre.   3. Non, je n'ai parlé
avec *personne*.   4. Non, je ne l'ai *jamais* visité.   5. Non, je ne l'ai pas regardé *non plus*.   6. J'ai regardé
des magasins mais je n'ai *rien* acheté.   7. Non, je n'ai visité *aucune* autre chose.   8. Non, je ne me suis
assis(e) *nulle part*.

3

1. Mais si, je les aime bien!   2. Mais si, je veux bien!   3. Mais si, je (le) parle!   4. Mais si, nous
l'avons visité!   5. Mais si, il sait (rouler à droite)!   6. Mais si, ils jouent (avec eux)!

Chapter 39

1

viennes, ailles, fasse, visite, t'amuses, passes, veuilles

2

soient, serve, apprenne, ait, fasse, aille, il y ait, voie, enseigne, commencions, terminions.

3

allions, logions, restions, soit, se baigne, bronze, voie, soient, décident, envoient.